98% das pessoas estão paralisadas pelo medo e os 2% dos destemidos governam a Terra

PABLO MARÇAL

3ª Impressão em 2023

Presidente: Paulo Roberto Houch
MTB 0083982/SP

Coordenação de Revisão: Priscilla Sipans
Coordenação de Arte: Rubens Martim

Vendas: Tel.: (11) 3393-7727 (comercial2@editoraonline.com.br)

As citações bíblicas foram extraídas
da edição Almeida Revista e Corrigida.

Coordenação Editorial: Filipe Mouzinho
Revisão: Thaís Monteiro

Foi feito o depósito legal.

Dados Internacionais de Catalogação na Publicação (CIP)
(eDOC BRASIL, Belo Horizonte/MG)

Marçal, Pablo.
M313a Antimedo / Pablo Marçal. – Barueri, SP: Camelot, 2021.
15,5 x 23 cm

ISBN 978-65-87817-43-9

1. Medo (Aspectos psicológicos). 2. Sucesso. 3. Técnicas de autoajuda. I. Título.

CDD 158.1

Elaborado por Maurício Amormino Júnior – CRB6/2422

IBC – Instituto Brasileiro de Cultura LTDA
CNPJ 04.207.648/0001-94
Avenida Juruá, 762 – Alphaville Industrial
CEP. 06455-010 – Barueri/SP
www.editoraonline.com.br

Dedico este livro a uma pessoa que se libertou dos seus medos
e alienações. Uma pessoa que não sabia, mas já estava liberta.
Agora essa pessoa é invencível.
Estou falando de você.

SUMÁRIO

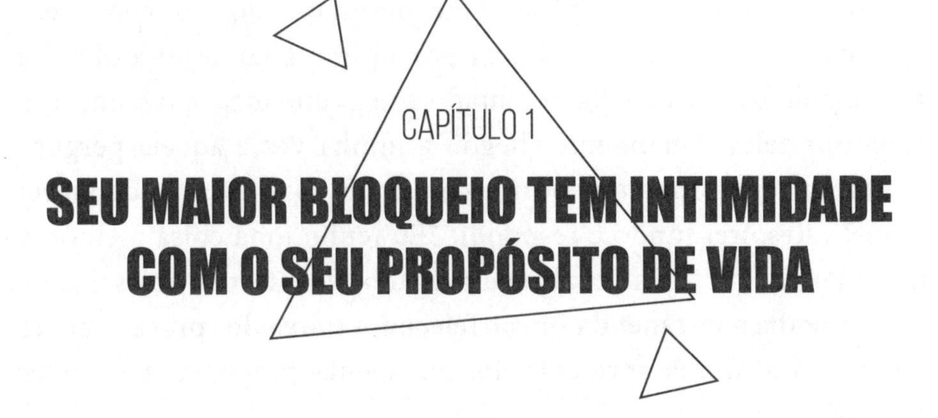

CAPÍTULO 1

SEU MAIOR BLOQUEIO TEM INTIMIDADE COM O SEU PROPÓSITO DE VIDA

O meu propósito de vida foi clarificado de uma forma inusitada. Em 2006 eu me deparei com uma vaga de instrutor de treinamento na Operadora Telefônica Brasil Telecom.

Lembro-me das pessoas tentando me impedir dizendo: "Você é gago!", "Não vai conseguir, pois é muito novo", "Tem poucos meses que você chegou e já quer sentar na janela?". Naquele momento eu era apenas um garoto que atendia telefonemas no *call center*.

Fiz a inscrição para a vaga e não me atentei aos detalhes. Talvez você tenha passado por uma experiência parecida com a que eu tive. Mas quero convidar você a viajar nessa história comigo! Vamos lá?

No dia do processo seletivo todos estavam de paletós, apresentações afiadas de PowerPoint, cabelos penteados com gel e com uma postura impressionante. Eu estava vestido com uma camiseta e bermuda, um tênis Qix de skatista, cabelo solto batendo no ombro e sem a bendita apresentação de PowerPoint, pois eu não fiz por falta de atenção.

Nunca esquecerei as expressões que todas as pessoas faziam naquele ambiente. Nunca me senti tão desprezado ou humilhado como naquele momento. Mas verdadeiramente eu converti aquela energia, e uma ira foi acionada dentro de mim. Foi a primeira vez que eu consegui converter o medo em Energia, e o resultado foi incrível.

Como eu estava completamente despreparado, eu não aceitei apresentar primeiro, então fiquei por último e comecei a observar a forma de pontuação dos recrutadores e o que tocava o coração de cada um deles. Finalmente chegou a minha vez e aquela pergunta poderosa veio. "Cadê o pendrive com a sua apresentação de PowerPoint?". Respirei fundo e respondi: "Eu tenho uma coisa melhor do que o PowerPoint". Então, abri o navegador de internet, acessei com a minha senha a intranet da Brasil Telecom na área dos procedimentos e comecei a minha apresentação. Fiz apenas perguntas para quem assistia.

"Para que serve essa intranet? Aqui tem tudo o que é necessário para um bom atendimento? O que falta para isso aqui ser melhor? Vocês sabem o motivo do Império Romano ter governado o planeta por quase um milênio? Vocês sabem qual era o peso do escudo de um soldado romano? Vocês entendem a relação do Império Romano e a Brasil Telecom? Como o treinamento pode fazer essa empresa atravessar séculos?"

As primeiras perguntas geraram uma sensação de que eu estava enrolando os entrevistadores, mas quando comecei a perguntar sobre o Império Romano, o ambiente mudou. Essa sacada veio na minha cabeça por conta da expressão "treinamento", algo poderoso que sustentou o império e tudo aquilo que o prosperou nos últimos séculos, a começar pelo simples fato de que o Império Romano sempre surpreendeu adaptando e modificando o seu *modus operandi*, o seu jeito de guerrear.

Daí eu disse: "A Brasil Telecom é um grande império, e para continuar expandindo, precisamos treinar todas as pessoas que estão conosco. E como operador eu percebo que não estamos apaixonados por treinamento, pois cada um faz como quer e não valoriza o que já está escrito. Esta é uma empresa que definitivamente não é lembrada pela excelência no que faz". Todos ficaram chocados, pois a apresentação deveria ser técnica, sobre internet e redes, mas não toquei nesse assunto, foi um **momento ativacional**, quando eu precisei mostrar para aqueles que estavam diante de mim que o simples fato de mudar uma intenção, voltando-se para o desenvolvimento de pessoas e ativando a paixão delas por isso, poderia mudar completamente a história daquela empresa.

As pessoas precisam amar e se divertir com o que fazem, caso contrário, farão somente o necessário, e muito mal feito.

Eu continuei dizendo: "Não estou aqui pela vaga, mas pela necessidade de fazer a Brasil Telecom expandir e dominar com excelência o que fazemos de melhor, que é conectar pessoas e atender bem cada uma delas".

Uauuuuu. Você pode imaginar isso? Foi chocante a mudança comportamental dos entrevistadores, e por essa transformação eu já sabia que eu seria selecionado, e foi isso que aconteceu. Uma das entrevistadoras que não queria a minha aprovação anos depois foi liderada por mim quando eu cheguei num dos cargos mais altos de um conglomerado empresarial de 200 mil colaboradores, e rimos juntos desse despreparo da minha parte e de como eu cresci rapidamente com tudo aquilo. E você? Diante de desafios como esse, como tem agido? Você simplesmente desistiria? Buscaria fazer algo diferente? O que aprenderia com seu "fracasso" inicial?

Não mencionei inicialmente, mas eu era gago. E algo impressionante aconteceu! Eu não gaguejei e só percebi depois da aprovação. Aquela ira (indignação) dentro de mim, a forma com que modelei os outros participantes e o fato de ter destravado gatilhos emocionais na mente dos entrevistadores me fez mudar a postura, até mesmo o meu tom de voz. Se você não percebeu, acabei de dar uma dica para que você possa enfrentar a gagueira, basta subir um tom na voz. Eu fui curado nesse processo seletivo.

Talvez a sua "doença" ou "limitação" seja outra, mas já pensou na possibilidade de ser curado, simplesmente porque enfrentou uma situação que antes causaria pavor e medo em você?

Guardo com carinho essa entrevista, pois realmente eu estava com muito medo, mas o que aconteceu naquela manhã foi a descoberta de que o **meu bloqueio emocional tinha intimidade com aquilo que eu nasci pra fazer**.

Eu nasci para **instruir pessoas** e depois de ser promovido outra vez nesta empresa, mesmo sendo executivo, eu continuava instruindo as pessoas. Eu fazia palestras por minha conta, participava de reuniões para falar com essas pessoas e, desde então, eu tenho ajudado a **clarificar o propósito de todos que se conectam a mim**, apenas localizando os seus bloqueios emocionais.

Pense agora naquilo que você tem um medo terrível, algo que talvez lhe cause pavor. Responda as perguntas abaixo e liste os medos que você precisa enfrentar:

Medo de falar em público? ______________________
Medo de ser criticado? ______________________
Medo de ser rejeitado? ______________________
Medo da morte? ______________________

Quais outros medos?

____
____
____
____

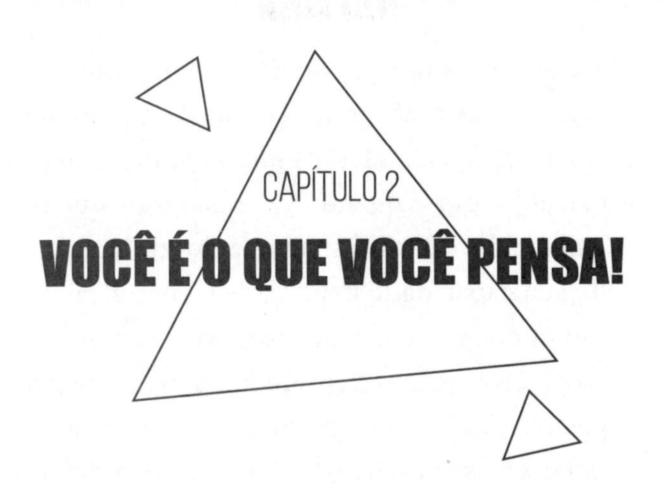

CAPÍTULO 2

VOCÊ É O QUE VOCÊ PENSA!

O pensamento é a ignição da existência. Descartes registrou: “Penso, logo existo!”. A Palavra diz: “Eu é que sei os pensamentos que tenho a seu respeito. Pensamentos de paz e não de guerra” – essa segunda frase é do Criador do céu e da terra, para você. E eu pergunto: quais têm sido os seus pensamentos?

Quando você começa a questionar os seus próprios pensamentos, surge então a oportunidade de renová-los e também criar novas alternativas.

A primeira coisa que você precisa compreender é que: quem você é hoje é fruto de quem você atraiu para si. Existe um poder nos seus pensamentos, mas por você não saber gerenciá-los, acaba por se submeter à ordem de outras pessoas, coisas e situações.

O poder da mente subconsciente não tem nada a ver com mágica ou sorte. Sua mente trabalha de acordo com a sua vontade e da forma com que ela foi direcionada a agir. Acredite, conforme o comando dado, ela agirá, e não haverá outro modo.

Por isso é tão importante pensar, inclusive acerca dos seus próprios pensamentos. **Todo ser que pensa não é alienado.** Você compreende o que é alienação? Falaremos sobre isso em um capítulo mais para frente, mas já adianto que a alienação é a forma de controle que os outros exercem sobre você, e você nem sequer percebe.

Quando você utiliza sua **imaginação**, começa a fabricar a sua própria existência. À medida que você compreende sua forma de pensar e o impacto direto disso em sua vida, você naturalmente começa a experimentar as maravilhas se realizarem. O poder daquilo que você pensa não pode ser subestimado, afinal, seus pensamentos atuam vinte e quatro horas por dia, até mesmo quando você não sabe que o está usando. Entenda, a sua mente deve chegar sempre antes do seu corpo.

Utilizando da sua capacidade imaginativa, você atrai não somente o que deseja, como também a consequência do que deseja. Um exemplo disso é que, se você usar os seus pensamentos para atrair o bem para si e para outras pessoas, terá como resultado o sentimento de bem-estar do que realizou. Porém, se desejar o mal, ele também irá atuar em você. Nunca se esqueça disso. **A sua decisão modifica o seu destino.** E isso é afetado diretamente por aquilo que você pensa.

Se você for como 90% das pessoas que pegam em um livro, você não chegará no fim deste. Mas se ativar a decisão e o seu desejo, você vencerá este livro em menos de 24 horas, com todas as atividades executadas, e consequentemente as mudanças estarão borbulhando dentro de você.

Antes de continuar a leitura faça o que chamo de ensaio mental: coloque um letreiro de led vermelho piscando para avisar o que você vai colher lendo este livro. Você tem, agora, a oportunidade de fabricar, através da imaginação, uma vida extraordinária. Esse é o motivo real de continuar.

Agora me diga: o que você deseja ver nesse letreiro?
Quais palavras estão escritas nele?
O que você realmente quer e deseja ao ler este livro?

____

____

____

____

____

____

____

____

A sua alma tem saudades de coisas que os seus olhos jamais viram. E é na alma que habita a sua mente. Tudo o que pensamos vibra dentro de nós, e esse é o motivo pelo qual devemos nos alimentar de pensamentos de amor, paz e harmonia, vamos gerar uma atmosfera que nos tornará positivos, afetuosos, perseverantes, otimistas, leais e etc. Entenda que a sua mente é a parte virtual, o sistema operacional, já o seu cérebro é o hardware (parte química). Se o seu cérebro comanda a sua vida, atenção, você está completamente fora de sua rota ideal e possivelmente você nunca parou para pensar sobre isso.

Não há como ter paz, harmonia, sucesso e crescimento, se o que você pensa é negativo, inferior, crítico, chato. Ninguém vive em paz se não transmite paz.

Para alcançar a **soberania do pensamento** (capacidade de se ter um pensamento apurado) a um nível de alma, que o direcione corretamente em seus caminhos, experimente diminuir o poder do seu corpo de executar atividades automatizadas. Acredite, existem várias coisas que você faz, mas nem sequer sabe o porquê faz. Apenas repete de forma robotizada comportamentos que vieram através dos seus pais, da mídia, ou até mesmo do grupo social que você frequenta.

Coloque o seu cérebro no modo operador e **comece a comandar quem antes governava você**. Quanto mais sensível na alma, mais decisões assertivas acontecerão, e você só se tornará sensível ao esvaziar-se de si mesmo, suas razões, justiças e se conectar à Fonte. Mas esse é um tema para outro capítulo.

Aprendi com o Daniel Goleman, PhD em Harvard, que se você for colocado diante de um desafio, esfregue as mãos e diga: **"Eu amo um desafio"**. Isso aumentará drasticamente as suas chances de resolver o que quiser na vida. Através de uma pesquisa com crianças, ele percebeu que as crianças que tinham esse comportamento alcançaram sucesso na vida, diferentemente das outras que torciam o nariz diante daquilo que lhes era proposto. Existe uma forma de você se divertir e alcançar resultados diferentes: apenas tente o direcionamento de Daniel Goleman, e veja sua vida dar um salto quântico.

Freud, fundador da Psicanálise, dizia: "O pensamento é o ensaio da ação". Você realmente compreende o que isso quer dizer? Significa que tudo começa no pensamento. Por exemplo, se você está namorando e de repente começa a pensar sobre terminar com o seu namorado, acredite: você já terminou com ele. Tudo começa antes no pensamento. Aquilo que você pensa, você eventualmente, em algum momento da sua vida, irá realizar. O pensamento é a base do seu sucesso, ou da sua derrota. E é exatamente por isso que é tão importante você começar agora a sondar os pensamentos que alimenta.

A vitória está pronta na sua mente, e a maior guerra que a humanidade já observou é a de um homem contra ele mesmo. Em Provérbios diz que se você consegue controlar a si mesmo (suas emoções), você é mais poderoso que um valente de guerra que conquista uma cidade inteira. Eu sei que você está carregado de medo, e é exatamente essa toxina que o paralisa. Entendo que você esteja há anos vivendo assim, mas isso não o incomoda? Não o deixa indignado saber que você poderia ser mais forte que qualquer guerreiro, mas você não é somente porque escolheu ter maus pensamentos?

Experimente aplicar métodos que funcionam. Mesmo sem acontecer instantaneamente, **comece a ativar a sua mente**, passeie agora como se já tivesse vencido todas essas coisas, todas as barreiras, todos os impedimentos. **Use o seu recurso mais poderoso**: a imaginação! Acredite em vencer, acredite que você irá crescer, atingir seus resultados, suas metas, acredite na sua liberdade. Invista em você e busque fazer algo agradável, algo bom, algo positivo e lucrativo para quem você é. **Assuma o comando, pois a vida é sua e você só tem uma.** Mas se você acredita em várias vidas, cuide de cada uma por vez, ok?

Enquanto isso acontece, **mentalize** você praticando coisas que antes você não conseguiria. Coisas que você deseja ter e realizar.

Sabe por que as pessoas permanecem sempre no padrão negativo? O maior problema é que elas, muitas vezes, simplesmente não acreditam. Não acreditam que conseguirão alguma coisa utilizando

Pare a leitura agora, vamos fazer uma alcalose:

- Fique em pé, solte os braços.
- Relaxe.
- Feche os olhos.
- Respire corretamente: puxe profundamente a respiração com o nariz e segure-a por 4 segundos.
- Solte o ar devagar pela boca.
- Faça isso por 3 vezes. Isso tudo pode levar 2 minutos.

primeiramente o recurso da imaginação. Não entendem que a imaginação é a fábrica da existência e pensam que isso não basta.

A miséria mental é pior do que a miséria material. Muitas pessoas se abalam fisicamente porque não conseguem melhorar a si mesmas mentalmente, e acabam atraindo para si muitas doenças psicossomáticas. O seu corpo sempre vai responder ao alimento que ele ingere. Se seus pensamentos são alimentos negativos, acredite, você está atraindo e desejando um corpo adoecido.

No começo parece uma loucura e de fato é. Pensar em coisas que você não está experimentando é como se você fosse aqueles andarilhos malucos que falam e não provam, até porque no começo não têm resultado. E muitas vezes, você mesmo se cobrará por isso.

Eu já senti isso por 5 anos. Na Brasil Telecom me chamavam de "Pablo doidinho", e sempre tentavam me diminuir, pois tudo que eu falava era fruto apenas do pensamento.

Eu falava na empresa sobre vencer na vida, e lá estava eu, chegando de bicicleta. Depois comecei a falar de riquezas e lá estava eu andando com um Volkswagen Gol G2 verde. Lembro-me, com carinho, do desprezo das pessoas. Você já se sentiu assim?

Hoje a maioria das pessoas que outrora me desprezavam vão até as minhas palestras em estado de choque. Muitas me pedem perdão e querem aplicar agora o que eu as ensinava há uma década. Olha só quanto tempo perderam por simplesmente não compreenderem o poder que existia e ainda existe dentro delas.

Na 38ª turma do Método IP (uma imersão em inteligência emocional desenvolvida por mim), lá estava uma colaboradora que me conheceu na Brasil Telecom, me reencontrou por acaso na internet e com carinho me disse que eu a marquei numa palestra durante uma madrugada e aquilo nunca mais saiu da cabeça dela. Ela veio até mim e trouxe a família inteira para uma das formações mais poderosas que eu tenho aplicado nos últimos anos. E todos, depois disso, avançaram na vida.

O Mestre deixou uma mensagem para nos orientar em relação a conquistas eternas e obviamente controle do que pensamos. Ele queria que compreendêssemos que nossa mente é guiada pela fé e que as grandes realizações estão sujeitas aos nossos pensamentos. Quando você quer algo, deseja algo com toda a sua intensidade e certeza, isso nada mais é do que Fé. Quando você tem fé, realmente acredita no que você quer, e isso não se trata de religiosidade. É apenas uma certeza aguda e que não permite a possibilidade de dúvida. Quando você aprende a canalizar os seus pensamentos, não existe a possibilidade de vacilar durante a conquista. Já parou para pensar no porquê a fé move montanhas? Porque não existem montanhas (dificuldades, ou chame do que você quiser) para quem tem fé e quem realmente acredita em algo.

O pensamento é a semente, e as pessoas que não entendem de agricultura nunca acreditarão em sua plantação, enquanto ela não estiver visível. Vivemos em um mundo onde o TER vem antes do SER, e a maioria das pessoas reproduzem esse ritmo hipnótico sem nem mesmo questionar.

Agora que tenho grandes resultados em todas as áreas da minha vida, as pessoas ficam pasmas e algumas ficam arrependidas de não ter seguido o mesmo caminho, pois comeram todas as sementes.

Nunca deixe ninguém controlar a sua semeadura. Eu aprendi rapidamente que, na vida, **tudo é determinado pelos meus pen-**

samentos, não demore a aprender também.

Qualquer pessoa pode descobrir quantas sementes há dentro de uma maçã, mas ninguém pode determinar quantas maçãs estão dentro de uma semente. **A lei da semeadura é infinita.** Existe um começo, mas nunca tem um fim.

A prova disso é que conheci um grande homem, e tudo que ele dizia que iria conquistar, ele conseguia. Ele dizia que iria comprar um terreno milionário sem ter nenhum dinheiro e tudo que ele abria a boca para conquistar já era dele. Eu o modelei e comecei a fazer as mesmas coisas. Comprei vários imóveis e entrei em investimentos sem nenhum capital. Isso não é incrível?

Quando eu estava com 13 anos, vi esse homem sem nenhum patrimônio, andando de carro velho, e eu utilizava bicicleta como meio de transporte. Como aprendi com esse homem que hoje é mundialmente famoso. Talvez eu o tenha ouvido por mais de 2 mil horas e lido mais de 40 livros dele.

Hoje ele tem alguns milhões em patrimônio e grande parte da minha sabedoria financeira eu aprendi com ele. Nunca fomos grandes amigos. Uma única vez eu tive a chance de ensinar pessoalmente algo poderoso a ele, mas aprendi mais de mil coisas diferentes com ele nesses últimos 17 anos.

Sei que está curioso para saber que homem é esse. Mas aqui vai uma dica: isso não é da sua conta! **Controle o seu pensamento.** É exatamente por isso que você não avança, não cresce, não realiza seus sonhos e não faz o que tem que ser feito, pois você gasta muita energia com o que não deveria.

Continue focado no livro e não caia nesse gatilho. Apenas avance sabendo que a história é verdadeira e que produziu muito resultado em mim, e espero que produza em você.

Controle os seus pensamentos, pois eles governam o seu corpo.

O que você pensa sobre você?

Vamos finalizar juntos este capítulo verbalizando em voz alta o que eu escrevi abaixo. Eu estarei junto com você.

Estou escrevendo este capítulo à beira de um dos mais belos rios do Brasil e estou verbalizando neste exato momento, e a minha parte vai ecoar pela eternidade. Vamos juntos?

Quem sou eu?

____

____

O que Deus acha de mim?

____

____

Para o que eu nasci?

____

____

O que eu posso conquistar nesta vida?

____

____

De quais pessoas vou me aproximar para alcançar tudo o que quero?

____

____

Eu estou pronto para avançar neste livro e em minha vida!

CAPÍTULO 3
MEDO X MEDO

Aprendemos desde cedo que ter medo de certas coisas nos livra de problemas e até mesmo da morte. Mas a instrução da última geração foi totalmente duvidosa devido às **toxinas liberadas** pelo **engenheiro social** que contaminou os conceitos básicos que outrora seguíamos.

Na verdade, **o medo distancia você daquilo que você nasceu para fazer e bloqueia uma onda poderosa de prosperidade em todos os seus caminhos.** Chocante, não é?

Não confunda sentimento tóxico com coisa boa. Esse assunto é tão importante que escrevi outro livro apenas sobre esse assunto, o livro se chama "Lavagem Cerebral". As pessoas que não pensam por si mesmas permitem que qualquer tipo de toxina invada seus pensamentos, prejudicando drasticamente quem elas realmente são. Muitos desses pensamentos e sentimentos tóxicos vão afetar diretamente na sua autoimagem, então me diga: por que você permite isso?

Medo é diferente de prudência. Em vez de ensinar o medo do fogo a uma criança, por exemplo, precisamos instalar o driver da prudência ou do zelo com a própria vida. Isso garantirá um resultado extraordinário na criação de seus filhos. O que você tem semeado na próxima geração?

Não ensine para o seu filho que o dinheiro é sujo, pois ele pode crescer com medo de dinheiro. E a maior parte das pessoas que sofreram esse impacto não conseguem administrar a própria vida financeira.

Imagine isto: uma semente plantada na infância gerará uma vida de miséria. Que legado você quer construir? **Você deseja formar uma geração de pessoas aprisionadas e reféns de crenças limitantes construídas por você?** Quando você fará algo em relação a isso? Qual atitude você terá?

Antes de ensinar qualquer coisa ao seu filho, viva, e ele aprenderá pelo seu comportamento e não pela sua fala. Palavras podem convencer, mas o exemplo arrasta.

O maior problema das pessoas é falar antes de tornar-se. **Apenas viva o que você deseja ensinar, e as suas palavras não serão necessárias.** Quer um exemplo do que eu estou falando? Você sabia que um bebê aprende a falar observando a movimentação da boca dos cuidadores e não apenas pelo ouvido? Pode até parecer clichê, mas as crianças realmente aprendem muito mais através da repetição e imitação dos comportamentos dos pais. Primeiro viva, depois transmita essa verdade para seus filhos e sua família.

O medo é uma semente que frutifica rapidamente em qualquer terreno. Mas a terra ideal é o espaço vazio do seu cérebro. Como na famosa frase "mente vazia, oficina do diabo". Apesar de não estar na Bíblia, essa frase é uma verdade inquestionável, pois, segundo a neurociência, a falta de ação produz uma inatividade terrível no cérebro. E se você está inativo, está também improdutivo, consequentemente, limitado e pobre (e não estou falando sobre dinheiro).

Qual o adubo mais poderoso para que a semente do medo germine? **O adubo são os atos negativos:** pensamentos, comportamentos e escritas negativas. A única ferramenta que você poderá desenvolver para separar o joio do trigo é **o agrotóxico que chamo de ações positivas de enfrentamento.** Se você não enfrentar, se você não decidir partir para cima, sempre estará pronto para a vida medíocre que você já tem.

O medo é uma sensação que proporciona um estado de alerta. Existem **dois tipos de medo:**

O primeiro é o **medo reflexo**, também chamado de instinto de sobrevivência, que gera uma resposta fisiológica. Esse tipo de reação não pode ser dominada por completo, haja vista que a resposta do cérebro primitivo é muito veloz.

Já o segundo é o que trava você, o **medo paralisante.** É um medo que compromete as relações sociais e causa sofrimento psicológico. É aquele que impossibilita novas ações no cérebro e retrai você a um estado indesejado, sempre conduzindo-o a fugir de seus alvos e/ou nunca estabelecer as suas metas.

A melhor forma para tratar o medo é através da **dessensibilização sistemática**, em outras palavras, também conhecida como **enfrentamento.**

Quando você se dispõe a enfrentar aquilo que antes gerava uma trava emocional, você começa a ganhar autoridade e domínio sobre a situação. O maior problema das pessoas encontra-se aqui: querem ter autoridade, domínio, conhecimento e fazer as coisas, sem enfrentar aquilo que as limita. Entenda algo: se você não enfrentar os seus monstros, eles se tornarão seus senhores e determinarão os resultados da sua vida.

A liberdade está em abrir os grilhões e começar a caminhar. De nada adianta apenas ressignificar e não continuar praticando. É como um escravo que se torna livre, mas quer continuar na escravidão.

O medo é um tabu para a maioria das pessoas. Você faz parte desse grupo que prefere fingir que não tem limitações e traumas? Prefere agir como se seus medos não existissem? O que você quer ser? Escravo ou um homem (mulher) livre?

O meu filho mais velho, quando tinha apenas 4 anos de idade, parou uma reunião com diretores da minha empresa e disse: "Pessoal, o medo é que tem medo da gente!". Uau! Ele mudou o cenário da reunião! E como é possível um garoto de 4 anos pensar assim? Acredite, a simplicidade das crianças destrói o medo! Por que você não aprende a ser criança? Ah, eu já sei, você tem medo de parecer ridículo e infantil. Mas saiba que pode ser esse o seu caminho para a liberdade.

Você tem medo, pois seu raciocínio é complexo. Os medos são muito intensos, tudo parece ser grande demais. **Acredite, a simplicidade pode libertar você.**

Você deseja ser livre? Se sim, apenas compreenda que você tem apenas o HOJE. Não procrastine, não deixe tudo para amanhã. Apenas viva o agora e pare de fugir, faça o que precisa ser feito.

Liste dez medos que você já ouviu e que pareciam ser coisas boas, mas não são:

1. ______________________________
2. ______________________________
3. ______________________________
4. ______________________________
5. ______________________________
6. ______________________________
7. ______________________________
8. ______________________________
9. ______________________________
10. ______________________________

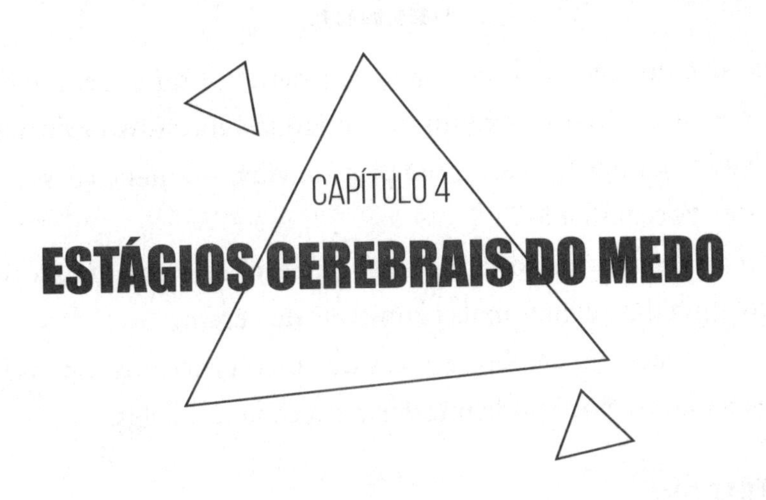

CAPÍTULO 4

ESTÁGIOS CEREBRAIS DO MEDO

Você sabe efetivamente o que é o medo? O medo é constituído por um **estado emocional de agitação física**, ocasionado pela presença, **real** ou **pressentida**, de um perigo concreto.

Pode acometer o ser humano para uma fuga para dentro de si, ou para fora de si.

O medo é uma reação de alerta e, em até certo nível, importante para a sobrevivência, mas na maioria das vezes, pode tornar-se paralisante. Quando o nosso organismo reage de forma exagerada ao medo, o estado de alerta que antes era benéfico ao indivíduo torna-se patológico. É aí que entram todas as doenças desenvolvidas, muitas vezes, por um medo pequeno que, só porque você não enfrentou e não resolveu, tornou-se grande e dominou você.

O medo se torna patológico em alguns casos, quando o organismo reage de forma exagerada, fazendo com que o estado de alerta se torne fobia. A fobia se trata de uma antecipação do medo ou da ansiedade. Sabe qual o maior problema disso? O prejuízo social, emocional e familiar em que essa pessoa se coloca. O medo nunca será bom para você, mas em alguns momentos poderá definhar seu corpo até a morte.

Algumas pessoas dizem que eu sou insensível por não sentir medo de absolutamente nada. Se você não me conhece pessoalmente, você duvidará que eu não tenho medo de nada.

Mas você que me conhece e já experimentou ficar em alguma imersão ou treinamento mais profundo comigo já venceu isso na sua mente ou até mesmo modelou para a sua própria vida. Ao menos é isso que eu desejo que você tenha feito.

O Medo é uma reação emocional que está relacionada ao sistema límbico, uma das regiões mais primitivas do cérebro.

Ele é mapeado no cérebro através de cinco processos. Entenda seus processos e como você pode interferir em cada um deles.

1º Tálamo

Recebe ruídos e sinais do VAC (olhos, ouvidos, boca e pele). **A maior parte dos medos são ruídos** e não sinais verdadeiros. Ruído é uma sensação, já o sinal é a informação completa. O tálamo não consegue processar nesse primeiro nível aquilo que é realmente "real" do que foi "construído/imaginado" por você. Por isso, podemos coordenar nossas reações e ter um primeiro reflexo de medo, dar um pulo imediato e, em seguida, reconsiderar e ver que não havia nenhum perigo ao analisar o que aconteceu e o que nos causou medo.

2º Córtex pré-frontal (sensorial)

Nessa área cerebral existem as **reguladoras do medo.** As reações de medo resultam dos intercâmbios entre os dois hemisférios cerebrais e derivam da síntese entre a emoção de medo e a sua regulação.

O córtex pré-frontal é responsável por interpretar as sensações (sensoriais, emocionais e culturais) para formular planos de ação em situações de emergência.

3º Hipocampo

O hipocampo armazena e recupera as memórias anteriormente ar mazenadas, processa os estímulos e os compara.

4º Amígdala

Decodifica as emoções, determina possíveis ameaças e armazena memórias do medo.

Uma vez acionada, a amígdala lança um primeiro alarme corporal, sob a forma de posição de tensão.

5º Hipotálamo

Após ser avaliado o perigo e acionado o alarme pela amígdala, caso o sinal continue a ser disparado, são avaliadas diversas estruturas cerebrais próximas da amígdala envolvidas no "circuito do medo". A partir daí, o hipotálamo decide o que fazer: lutar ou fugir.

Os níveis de intensidade de medo vão desde uma prudência e concentração (desconfiança), alarme e angústia (ansiedade), ao pânico e terror.

Precisamos compreender também que **o que não existe oprime mais do que aquilo que existe.** Já pensou sobre isso?

Aquilo que permanece na imaginação, ou seja, é criado por quem sofre, aprisiona justamente porque foi criado e desenvolvido no âmbito da imaginação e por isso não se pode fugir, pois seria necessário fugir de si mesmo para conseguir livrar-se de suas ameaças. Uau! Isso é muito sério! Uma imaginação mal utilizada gera correntes mentais que aprisionam você e o impedem de ser o que você nasceu para ser. Tudo isso por uma má gestão dos pensamentos e da sua imaginação. Você quer mudar isso?

Hoje possuímos uma habilidade para não temer ou enfrentar um grande risco, ou, ainda, sentir pavor mesmo quando o perigo está apenas no âmbito da fantasia. Temos essas atitudes devido à complexidade do cérebro humano, que a princípio deveria melhorar o controle sobre o medo, porém, desencadeia maiores riscos e disfunções.

O medo é uma emoção primária e provoca ansiedade, angústia, susto, pânico e terror.

Lutar ou fugir?

Liste cinco pontos dos quais você tem fugido e, em uma palavra, escreva o que você fará para encarar cada situação:

1. ____________________
2. ____________________
3. ____________________
4. ____________________
5. ____________________

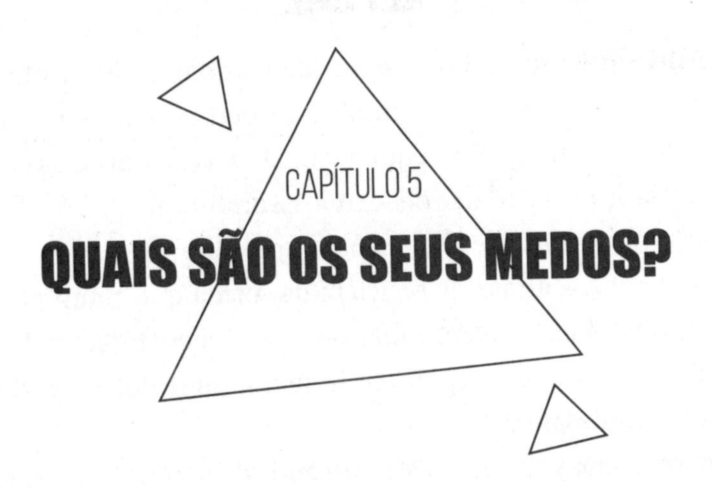

CAPÍTULO 5
QUAIS SÃO OS SEUS MEDOS?

Quando você era um bebê, a sua simplicidade fez o medo ser apenas uma piada. Você não sabia como pedir comida, por isso o seu único ato foi chorar, coisa que ninguém ensinou a você, e em nenhum momento você se incomodou com isso.

Você não sabia andar, mas caiu mil vezes antes de andar perfeitamente até os dois anos de idade.

Você também não sabia falar, mas falou milhares de palavras erradas, e com a quantidade de fracassos aprendeu a falar corretamente. Você não sabia pedalar e foi aí que começou o medo. Implantaram um grande amuleto em sua vida: as malditas rodinhas. E por anos você ficou com elas. Conheço uma garota que quando era pequena (como a maioria das crianças) queria aprender a andar de bicicleta. Seus pais deram para ela uma bicicleta com rodinhas, e ela tentava andar por várias e várias vezes seguidas, mas sem sucesso. O problema não era somente cair, mas pelo fato de ser bem gordinha, as rodinhas sempre entortavam e ela caía no mesmo lugar, sempre no mesmo lugar. Essa situação gerava nela muita vergonha, pois sempre que as rodas entortavam, ela precisava de ajuda para desentortar e ouvia de sua mãe: "Tá vendo? Gorda assim nem a bicicleta aguenta! Não sei onde você vai parar!". Resumindo, ela desistiu da bicicleta e desistiu de muitas outras coisas, tentou, por vezes, desistir da própria vida. Sempre que precisava empregar energia para enfrentar algo, ela desistia. Tornou-se uma criança medrosa e, posteriormente, desenvolveu um quadro grave de síndrome do pânico.

Você sabia que uma criança aprende a andar de bicicleta em apenas dois dias? É só tirar as rodinhas e os pedais. Deixe a criança empurrar a bicicleta para ganhar equilíbrio. Depois de dois dias coloque os pedais e a criança vai pedalar de forma assombrosa.

Eu tive a oportunidade de ensinar meu filho mais velho, Lorenzo, agora com 7 anos, a andar de bicicleta da forma que compartilhei com vocês. Como fiquei alegre em saber que não fui o causador de traumas no meu filho e ele poderá seguir em frente, sempre enfrentando os seus medos e os seus desafios.

Sim, eu sei como você deve estar se sentindo agora, achou que durante tanto tempo estava ajudando seus filhos, quando na verdade imprimiu neles um medo gigantesco e hoje, se seus filhos forem adultos, pode ser que não consigam andar de bicicleta (como a garota que eu contei na história) e também não consigam muitas outras coisas.

Ao final deste livro você vai dar risadas de como você se manteve bloqueado por coisas que nunca questionou e por coisas a que você simplesmente se acostumou.

Liste pelo menos dez medos que você tenha, em ordem de prioridade:

1. ______________________________
2. ______________________________
3. ______________________________
4. ______________________________
5. ______________________________
6. ______________________________
7. ______________________________
8. ______________________________
9. ______________________________
10. ______________________________

CAPÍTULO 6
SINAL X RUÍDO

Saber a diferença entre sinal e ruído é vital para se conectar aos seus alvos de vida. **O ruído é tudo aquilo que não é verdadeiro**, são todas as interferências e mentiras lançadas na rede.

A rede de frequência é o universo e, acredite, 95% de tudo que parece informação é só ruído. **Os ruídos são informações manipuladas, mentiras, sofismas e crenças erradas.** A minha vida começou a mudar drasticamente depois de abandonar vários ruídos. Quais são os seus ruídos? Em 2006 comecei a **bloquear a opinião das pessoas ao meu respeito**. Em 2012 eu **parei de assistir televisão.** Em 2016 parei de **debater na internet.** Em 2017 parei de **ler qualquer notícia na internet ou jornal impresso.**

Eu percebi que **eu era escravo** e não tinha tempo para prosperar, pois eu tinha que ficar repetindo aquilo a semana inteira e debatendo como escravo. Até os dias de hoje eu me impressiono ao ver como as pessoas são obrigadas a falar de assuntos que a mídia manda. Você que ainda é um alienado precisa conhecer a liberdade.

Mate a sua televisão! 95% do que ela transmite é ruído. As informações geradas por ela apenas deixarão você em crise. Além disso, criarão em você a ideia de que tudo mudou e que o atrasado é você. Manipularão seus sentimentos, suas sensações e principalmente seus valores, o que é mais grave.

A indústria cultural é uma das grandes responsáveis pela hiperestimulação das crianças. Com o fácil e ilimitado acesso às mídias, as crianças ficam mais suscetíveis à exposição de diversos conteúdos. Você nem percebe, mas em cada propaganda (na televisão, rádio, celular) a mídia imprime nos seus filhos a compulsão pelo ter, e até você, inconscientemente, entra nessa onda. Sempre buscando o melhor aparelho digital, o melhor isso, o melhor aquilo. Não porque acredita que merece ou precisa, mas porque está sendo realmente controlado.

Um dos mais perigosos conteúdos para crianças são as propagandas que estimulam o consumismo desde muito cedo. Cerca de 70% das decisões de compra de uma família são influenciadas pelas crianças através da propaganda (Pesquisa TNS Interscience 2).

Quando a mulher passou a ganhar mais espaço no mercado de trabalho, ambos os pais saíram para trabalhar e deixaram as crianças aos cuidados da TV. Hoje a maioria dos pais **terceirizam a criação dos filhos**, não somente deixando os filhos na TV, mas através de outras modalidades como: videogames, tablets, smartphones, internet e etc. Qual é o seu compromisso com a geração futura? O que você está deixando como legado, como ensino para seus filhos?

Para muitos pais é mais fácil distrair crianças com esses aparelhos do que dar atenção depois de um dia estressante de trabalho. E muitos ainda usam a desculpa de trabalharem tanto para dar uma vida melhor para seus filhos. A melhor vida que seus filhos podem ter é estar com os pais. Brinque com seus filhos, crie memórias positivas na mente deles.

Pais cansados e estressados estão criando **filhos hiperativos, hiperestimulados e inquietos.** Com esse excesso de atividades e estímulos tecnológicos, as crianças não têm tempo para brincar, para admirar o mundo a sua volta, e nem mesmo para cuidar da sua inteligência emocional. As crianças amadurecem e começam a ser estimuladas precocemente.

É preciso reverter essa situação na **primeira infância**, principalmente o papel dos pais no desenvolvimento da saúde emocional dos filhos. Os pais são os primeiros a incentivar o desenvolvimento da autoestima, da proteção da emoção, da capacidade de trabalhar perdas e frustrações e de filtrar estímulos para que as crianças tenham uma infância saudável.

As crianças precisam saber dialogar e ouvir, a interagir com os outros e principalmente consigo mesmas, e só através do desenvolvimento da inteligência emocional isso é possível. Você precisa investir tempo de qualidade com seus filhos.

Outro grande problema, fruto do excesso de ruídos, é o que chamamos de **obesidade cerebral.** Esse não advém necessariamente da TV; mas, sim de um acúmulo de informações onde as pessoas que "aprendem" estão sempre informadas, e **nada fazem com o que aprendem.** Ou seja, não praticam e não ensinam. Apenas retêm todo o conteúdo para si, seja por se acharem incapazes de compartilhar, ou seja, por realmente acreditarem que não têm nada a contribuir.

Pessoas assim consomem muito, mas têm ações insuficientes. Incrível esse conceito, não é? Quantas vezes faltou coragem na sua vida para realizar algo? Para seguir em frente? Coragem para dizer sim ou não? Disposição para enfrentar desafios?

As pessoas não se posicionam por medo de tentar. Existe uma dúvida se serão capazes, e é essa dúvida que as impede de tentar – por medo do fracasso. Encontramos, aqui, a necessidade de aprovação, tão presente na vida das pessoas, principalmente nas que carregam o medo como seu escudo.

Se você não tenta, você se compromete com o erro e não com o fracasso. **Fracassar é bom, é um aprendizado.**

Se você fracassa em uma área, já sabe o que não deve ser feito na próxima vez, e por isso tem a possibilidade de influenciar mais pessoas a não cometerem o erro que você cometeu.

Se você não mudar sua mentalidade sobre o fracasso, ficará com medo de ousar e arriscar e levará a vida estática que sempre levou.

Todo fracasso entrega a você um diploma. O problema é errar sempre nas mesmas coisas. Quando você nem ao menos se dá a chance de tentar, nunca poderá ter um resultado diferente.

Nunca se esqueça: fracasse muito, mas nunca nas mesmas coisas. No que você já fracassou, já serviu como aprendizado, tire uma lição disso.

> Qual ação imediata você poderá produzir para os seus três maiores fracassos na vida?
>
> 1. ______________________________
> 2. ______________________________
> 3. ______________________________

CAPÍTULO 7

O PREÇO DA INÉRCIA

O universo é matemático! E quando eu descobri o preço da inércia eu nunca mais voltei a dormir na vida. A Primeira Lei de Newton, ou **lei da inércia**, diz que se um corpo está parado, permanece parado, e se ele está em movimento, permanece em movimento em linha reta e sua velocidade se mantém constante. Como você está? Parado ou em movimento?

Você compreendeu esse princípio simples? Se você está parado, permanecerá parado e estático. Uau! Sabe qual o segredo? Esteja sempre em movimento. Mesmo que lentamente, quando o corpo está em movimento, ele permanece em movimento. O maior problema das pessoas é desejarem mudanças absurdas quando, na verdade, o que você precisa é somente começar.

Um avião comercial gasta uma tonelada de combustível apenas na decolagem. Se o voo for de 2 horas, apenas a decolagem utiliza a maior parte do tanque. E quando descobri isso eu fiquei pasmo. "Uau, é por isso que muitas pessoas não saem do lugar, porque elas não possuem combustível no tanque." Já parou para pensar isso? Como está o seu tanque? Você tem combustível suficiente para decolar?

Outro exemplo de inércia pode ser observado no movimento de um ônibus. Quando o ônibus "arranca" a partir do repouso, os passageiros tendem a deslocar-se para trás. Da mesma forma, quando o ônibus, já em movimento, freia, os passageiros deslocam-se para frente, tendendo a continuar com a velocidade que possuíam.

A inércia refere-se à **resistência que um corpo oferece à alteração do seu estado de repouso ou de movimento.** Ou seja, o universo pode até direcionar você e empurrá-lo para a prosperidade, mas você resiste a isso, faz uma força contrária ao seu próprio crescimento. Ou seja, você é seu próprio inimigo. Você é quem trava seus resultados, você é quem impede seu crescimento e seu avanço.

A inércia não é só não fazer, é ter gastado toda a energia com coisas indevidas e ficar sem combustível para o que realmente é necessário.

Se você está vivendo sem experimentar resultados extraordinários é porque você exauriu suas energias.

Todo e qualquer projeto precisa sair do lugar. Você sabe como é o ciclo de vida de um projeto? Todo projeto é planejado, executado e controlado.

Na fase da iniciação, você precisa tomar consciência de todas as informações essenciais, como o tempo e o custo que afetarão o projeto. Quanto você precisará investir?

Antes de partir para a segunda etapa do planejamento, deve haver uma preparação dos esforços que serão empregados para a realização do projeto.

Nessa fase do planejamento há um nível de detalhamento muito maior, diferente da visão geral que satisfaz a iniciação. O objetivo aqui é estruturar um plano consistente que ativará o sucesso do programa. Essa fase precisa ser escrita. Lembre-se: **aquilo que não está escrito não existe.** Você tem seus alvos por escrito? Seus sonhos? Seus objetivos a médio e longo prazo? E se você for solteiro, tem escrito a lista de características da pessoa que você deseja encontrar? Escreva! Há um poder incrível na escrita!

Durante a execução (terceira fase) a atenção está voltada para o exercício do que foi planejado.

A quarta etapa é o monitoramento e o controle. Eles ocorrem em paralelo com a execução, e são uma forma de garantir que o que está sendo feito é compatível com o planejamento. Se algo não estiver em conformidade com o que você deseja, PARE e retome. **Volte atrás e não tenha**

compromisso com o erro. Vejo muitas pessoas insistindo em coisas que jamais darão resultados, e conscientes disso, simplesmente porque não querem voltar atrás por terem tomado uma decisão errada. Seja livre para voltar atrás quando sua escolha não for assertiva.

A última etapa é o encerramento/calibragem. Talvez você não compreenda por que estamos falando disso neste momento, mas o maior projeto que você pode ter é a sua própria vida. Se você não cumprir as etapas, infelizmente não conseguirá alcançar seu estado desejado.

Você estava na inércia por não tratar a sua vida como um projeto.

Todo bom projeto tem data para acabar e precisa ser escrito.

Nunca se esqueça de que o maior compromisso da sua vida é com você mesmo! Não brinque com sua vida.

Qual projeto você irá desenvolver a fim de sair da inércia nos próximos quinze dias? Escreva abaixo aquilo que queima em seu coração:

A semente

O medo é um pensamento, e o pensamento é uma semente. Logo, **o medo é uma semente**. E é aquele tipo de semente que germina até no asfalto.

As sementes são multiplicadoras em sua essência. A semente carrega o DNA de sua espécie. Não posso plantar abacaxi e esperar colher soja. São sementes de espécies diferentes.

E o que é a semente do medo? O medo sempre vem de outras pessoas que carregam experiências negativas marcantes e transferem/transmitem essas experiências para nós. Algumas carregam essas sementes em seus bolsos, mochilas e meias. Não podem falar absolutamente nada que destilam essas sementes nos ares.

A maior parte das pessoas são pássaros que comem as sementes dos outros e distribuem de forma desordenada em terras alheias. As pessoas fazem isso simplesmente por não terem conhecimento. Diferentemente de você, que tem aprendido com este livro a se tornar alguém diferente da maioria e nunca mais andará no efeito manada.

A terra fértil

É o seu **espaço vazio no cérebro**, o cenário propício para o medo se alastrar. É quando você mesmo produz as condições necessárias para que o medo se estabeleça e germine dentro de você.

O adubo

Os adubos são atos negativos que são reproduzidos por pensamentos, comportamentos, falas e escritas negativas que **potencializam o crescimento dessa semente.**

Talvez você acredite que isso não fará seu medo crescer, mas à medida que você não produz o agrotóxico, ao contrário, aduba o medo, a tendência é que ele cresça forte e robusto e o domine todo tempo.

O agrotóxico

A lavoura da sua vida só pode ser cultivada com qualidade se você atacar duramente o medo, para isso, o principal agrotóxico são **as ações positivas de enfrentamento.** Isso mesmo, o agrotóxico é a ação multiplicada para reverter o estoque mental desse medo.

Entenda, sempre que existe o medo, em certo grau, há uma fuga. Fuga física quando o corpo se prepara para enfrentar ou fugir, ou uma fuga emocional.

Como você constrói uma escala de medo, de uma leve ansiedade até o pavor, você precisa ser encorajado progressivamente a enfrentar o medo (é o que já chamamos anteriormente de dessensibilização sistemática).

Quando ocorre o **enfrentamento, há uma reestruturação e uma rea- prendizagem (ou ressignificação)** da reação que anteriormente gerava a resposta de alerta no organismo, para uma resposta mais inteligente.

O semeador

Você é o semeador, por isso deve selecionar bem as sementes e **guardar a sua terra, que é a sua mente.** Não aceite qualquer tipo de semente para germinar em um espaço que é só seu.

A colheita

Tudo o que se planta, se colhe, certo? Errado! Isso é mentira.

Você pode:

a) colher o que não plantou;

b) plantar e não colher;

c) abandonar a sua plantação;

d) plantar, mas a terra pode não responder;

e) plantar, mas o clima pode acabar com tudo;

f) plantar e perder tudo para uma praga ou para um ladrão;

g) plantar uma semente e a mesma não germinar;

h) plantar tâmara e não colher em vida. Nesse caso, as tâmaras que não são geneticamente modificadas levam entre 80 e 100 anos para produzir os primeiros frutos.

Ninguém colhe o que planta. Uma semente de milho pode virar em média mais de 1500 novas sementes em apenas um pé. Agora pense: e se for plantada?

Toda semeadura é superada pela colheita. Isso é um princípio. Eu já tive a experiência de plantar uma grande lavoura de milho e o resultado é surpreendente.

Quando era criança, eu ficava indignado com uma expressão bíblica sobre semeadura que era 100 por 1. Hoje eu experimento proporções muito maiores que essa. Isso é real! Essa vida realmente existe! E você até poderia experimentar, o problema é que você atrapalha a si mesmo.

Prepare-se, pois ninguém colhe o que planta. Se você plantar medo, colherá bloqueios, infelicidade e derrotas em proporções astronômicas. É isso que você deseja? Pare de plantar aquilo que você não deseja colher.

A **alienação é a melhor forma de aprisionar o cérebro** de alguém e fazer com que essa pessoa obedeça a comandos sem que perceba que o está fazendo é omitir a gestão da própria vida.

É caminhar no ritmo hipnótico, em que você é manipulado de forma permissiva, e ainda acreditar que há vantagem nisso. O que você não sabe é que existe uma indústria que patrocina isso em todo o mundo.

Ignorância

Todo ser nasce tolo e cresce através de suas próprias incoerências. Ou seja, todos são escravos e precisam se libertar através do conhecimento. Da mesma forma as crianças nascem tolas, mas é através do relacionamento com os pais que irão se firmar princípios morais e valores.

Religião

Cuidado com um dos principais **produtos da alienação,** que é a religião, pois o mestre **Jesus era judeu e jamais foi visto ensinando o judaísmo para alguém.**

Etimologicamente, religião significa "religar", é um laço de piedade que serve para religar os seres humanos a Deus. Ato esse, que inclusive parte d'Ele para você. Foi Ele quem quis reestabelecer o relacionamento de que você outrora abriu mão. É Ele quem tem um amor perseguidor que está ao seu lado o tempo todo, mas você ignora isso, porque sequer é amigo d'Ele, e consegue perceber a presença d'Ele. O maior problema em tudo isso é que os religiosos, em sua maioria, querem o pedágio pelo reestabelecimento de vínculo e de amor, que inclusive Ele já fez. Ele só quer sua disposição em vivenciar isso.

Eu tenho ódio pessoal de religião, pois esse campo foi o que mais prendeu a mente das pessoas nos últimos séculos. E ainda tem aprisionado as pessoas. Pessoas que pregam uma falsa liberdade, quando na verdade não vivem o que ensinam e pregam.

Informação

O que é publicado em apenas um dia na internet é maior do que todo o acervo da humanidade até o ano de 1900. Existem muitas mentiras envolvidas. Saiba diferenciar ruído (mentira) de sinal (verdade).

Medo

Um instrumento poderoso de alienação é o medo. Ele é propagado muitas vezes por "boa fé" pelas pessoas que mais amamos. O verdadeiro amor lança fora todo o medo. Se você ainda tem qualquer tipo de medo, entenda que a realidade, por mais triste que seja, é que você não conhece o verdadeiro amor.

Cultura

Alienação cultural é a diminuição da capacidade dos indivíduos em pensar, em agir por si mesmos, por causa da cultura de massa, que é a TV, os programas, revistas, jornais, rádios, panfletos e outros meios que fazem com que as pessoas fiquem alienadas, recebendo apenas a informação para que fiquem cada vez mais consumistas, criando uma sociedade de consumo sem que as pessoas percebam que elas fazem parte disso.

Parental

É a interferência na formação psicológica da criança ou do adolescente promovida ou induzida por um dos genitores, pelos avós ou pelos que tenham a criança ou adolescente sob sua autoridade.

Nesses últimos 15 anos eu vi pessoas maravilhosas ficarem completamente travadas por algum tipo de alienação, e isso sempre me deixava transtornado.

Eu já tive contato real com mais de 100 mil pessoas em grandes empresas, faculdades e igrejas, e posso dizer a você que até hoje eu não encontrei mais de 10 pessoas não alienadas, isso representa 0,01% do todo que são verdadeiramente livres de qualquer tipo de alienação. E testifico: todas elas são muito prósperas e felizes.

Um ser que tem controle absoluto de sua mente não pode ser alienado a nada. Desde que essa frase entrou em meu cérebro eu a declaro em voz alta e isso defende o meu projeto de vida e a minha amizade com o DEUS vivo.

Como eu passei a vida sem descobrir isso? Levei décadas para essa verdade entrar em meu ser e verdadeiramente destravar o meu cérebro para uma próxima fase.

Quanto tempo você vai esperar para descobrir isso e criar um relacionamento de amizade com o Criador? Vai ouvir falar dele como Jó, ou vai escolher ter um relacionamento íntimo e pessoal com quem criou e desenhou você antes mesmo da fundação do mundo, como João, o discípulo que mais se sentia amado?

Como deixar de ser um alienado? Conecte-se com pessoas que já conseguiram isso. Esse é o caminho mais rápido. **Um NÃO alienado tem liberdade de pensamento.** Mora na melhor casa da rua, anda no carro de seu desejo, não se importa com a opinião alheia e faz crescer tudo em sua volta. Você deseja viver essa vida? Ela está disponível para você, basta você não atrapalhar e fazer o que deve ser feito.

Toda pessoa, quando liberta por alguém, deve ficar atenta, pois é muito fácil desalienar-se de uma coisa e se alienar ao libertador.

O seu cérebro não quer pensar sozinho, pois isso consome muita energia. Muitos políticos e religiosos sabem desse poder e se utilizam dele para aprisionar a mente das pessoas que não pensam por elas mesmas. Você deseja ser realmente livre disso?

Coloque abaixo, em percentual (0 a 100%), o quanto você se sente alienado nas seguintes áreas da sua vida:

1. Saúde e Disposição ____________________
2. Desenvolvimento Intelectual ____________________
3. Equilíbrio Emocional ____________________
4. Trabalho ____________________
5. Recursos Financeiros ____________________
6. Influência no Trabalho/Networking ____________________
7. Família ____________________
8. Relacionamento Amoroso ____________________
9. Vida Social ____________________
10. Contribuição com o Mundo ____________________
11. Plenitude e Felicidade ____________________
12. Espiritualidade ____________________

CAPÍTULO 10
IRMÃS DO MEDO

Se você obtiver o controle sobre as irmãs do medo, matará a família inteira. Elas existem para abrir o caminho da destruição na sua mente e na sua vida.

Inércia

É a irmã mais velha do medo. É quando você **gasta toda sua energia com outras coisas** e depois fica sem energia para produzir algo para você. Deixar de fazer o que precisa ser feito aumentará o seu estoque de medo. A pior parte é acreditar que se está fazendo alguma coisa, quando na verdade você está se boicotando e enganando-se achando que está fazendo algo, mesmo que aos poucos, porém você se tornou uma estátua. Lembre-se: um corpo em repouso tende a permanecer em repouso. Movimente-se.

Procrastinação

É a irmã **criminosa. É a verdadeira ladra de sua alma.** É o ato de deixar para o último minuto tudo que precisa ser feito agora. **Estabeleça prioridades em suas metas e ações,** e trabalhe sempre com prazos reais. Gosto muito de usar com a minha equipe a ferramenta VF (Ver e Fazer), não deixe para amanhã o que precisa ser feito agora. Pare de se enganar e gastar energia de forma desnecessária. Apenas faça.

Desorganização

É a irmã **desperdiçadora.** Segundo levantamento de uma consultoria norte-americana, uma pessoa desorganizada perde 10% de sua vida por não fazer gestão, ou seja, gasta energia que não será convertida em resultado. Traduzindo: você foi programado para viver cento e vinte anos, levando em consideração boa saúde, bons hábitos e etc. Se você for "apenas" desorganizado, você perderá 12 anos da sua vida com isso. É assim que você deseja viver?

Omissão

É a irmã **preguiçosa.** Deixar de fazer algo essencial para alcançar qualquer resultado. Se você sabe que algo precisa ser feito, faça-o AGORA.

Negatividade

É a irmã **traumatizada.** Tenta imprimir mais peso do que o existente e faz com que as situações **pareçam grandes demais.**

Murmuração

É a irmã **ingrata.** É quando você gasta sua energia com coisas que não o levarão a alcançar seu alvo. É a verdadeira arte de morrer no meio do caminho.

Incerteza

É a irmã **tímida.** Por causa dela você não faz o que deveria e cria dúvidas sobre como seria se o fizesse. Gasta o seu maior recurso (sua imaginação) com aquilo que não produzirá efeito algum. Se **"pré"ocupa** com coisas que poderão nunca acontecer.

Mentira

É a irmã **desonesta.** É quando de alguma forma você obscurece a verdade para ter algum proveito na situação, ainda que seja não fazer aquilo que precisa ser realizado. Está muito ligado ao autoengano, quando você conta inverdades de forma "gourmetizada" apenas para se convencer de algo. O autoengano é o resultado de um processo mental que faz com que você aceite como verdadeira uma informação tida anteriormente como falsa por você mesmo.

Desculpas

É a irmã **da moda.** É aquela que você usa para se sair bem em situações de conflito, mas não passa de uma mentira gourmet em que nem mesmo você acredita.

Solidão

A irmã **beata.** A que fica sozinha e convence você a ficar também. Mente sobre seu real estado emocional. É a irmã que diz "você precisa desse tempo para você", quando na verdade quer isolá-lo para que você continue estagnado onde você sempre esteve.

Se o Criador nos fez para sermos seres relacionáveis e principalmente nos relacionarmos com Ele, qual o intuito da solidão? Na verdade, estar só é um pacto que você fez com Lúcifer e ele nem precisa se desgastar tendo gasto de energia com você, pois sua estagnação na solidão já está de bom tamanho para ele. Ver você paralisado já faz parte do plano maligno dele.

CAPÍTULO 11

CRENÇAS LIMITANTES

As crenças são as **regras** que direcionam sua vida. São as regras pelas quais você vive e direcionam o seu comportamento. É o que dita sua forma de se comportar.

Essas regras podem ser **libertadoras e positivas** e dar a você permissão para atingir suas metas e viver os seus valores. Por outro lado, elas também podem ser **impedimentos**, tornando as suas metas impossíveis ou levando você a acreditar que não é capaz de obtê-las.

Crenças são princípios de ação. Portanto, se você quer saber no que alguém acredita, observe o que essa pessoa faz, não o que ela diz acreditar. Todos os nossos relacionamentos, habilidades e possibilidades são influenciados tanto pelas nossas crenças positivas como pelas negativas. Formamos nossas crenças e nossos medos como **resultado de nossas experiências.** A partir disso, agimos como se fossem verdades absolutas. Em certo grau, elas funcionam até mesmo como **profecias autorrealizáveis**, já que aquilo em que eu acredito direciona minha conduta e meus relacionamentos.

Supondo por exemplo que você acredite que alguém é agradável, você agirá dessa forma, abordará a pessoa de forma aberta, apreciará a companhia dela na presença de outras pessoas, o que em certo ponto confirmará sua crença.

A maior parte dos medos que você carrega é fruto de ter acredi-

tado em algo que você ouviu de uma pessoa a qual você respeita e não questionou devidamente a seu tempo. Isso foi instalado em você inconscientemente e tem limitado a sua prosperidade. Quando você decidirá realmente se libertar disso?

Se as crenças são experiências, isso significa, então, que você pode escolher suas crenças e alterar o resultado a qualquer momento.

Se você gosta dos resultados que tem, continue agindo da mesma maneira e mantenha suas crenças. Se você não gosta dos resultados, **modifique seu comportamento e mude suas crenças.**

Existem pessoas que possuem **crenças de estimação.** Mas crenças podem e devem mudar. A consciência de que as **crenças são alteráveis** são em si desafiadoras para muitas pessoas porque elas tendem a pensar que crenças são como posses. E no fundo as pessoas não gostam de "perder", nem mesmo quando é algo ruim. Por isso vamos usar aqui a ideia de **"ressignificar" as crenças** para que elas produzam resultados diferentes.

Como as crenças atuam como regra sobre o que é possível, ao ressignificar essa crença que antes o aprisionava, é possível que você ganhe ainda mais criatividade em outras áreas da vida.

Abandone aquilo que tem impedido você de avançar. Mas como fazer isso? Muito simples. Ao mudar suas crenças você começará a executar novas ações, que não somente solucionam o problema existente, como levam a novas experiências fora do contexto em que antes você se inseriu.

Qualquer crença negativa, torne-a temporária. Se a crença for positiva, torne-a permanente e definitiva.

O seu novo aprendizado está no **ato de executar. Se você quer ressignificar uma crença, aja.** A mudança se origina na ação, não no conhecimento intelectual. **Toda ação resultará em aprendizado.**

Se você fracassar ao agir, entenda que você está no caminho do aperfeiçoamento. A falha é somente um julgamento sobre um resultado a curto prazo, ela não determina o final. Você pode tentar outras vezes, mas não co- meta os mesmos erros. Você só pode efetivamente falhar quando desiste; se você ainda está tentando, ainda há a possibilidade de sucesso e aprendizado.

Se você não tiver todos os recursos necessários, crie-os. Mas lembre-se: você tem **o melhor recurso que existe: você mesmo.** Mas se você não acreditar nisso, nunca irá avançar.

Enquanto você estiver comprometido consigo, estará cada vez mais perto do seu sucesso e do seu crescimento. Sempre caminhamos em direção a algo, mesmo que inconscientemente. Estamos sempre em direção a uma meta, e nossas ações não são ao acaso.

Todos nós temos diferentes experiências, interesses, temperamentos, responsabilidades, aversões, preocupações e etc. Por isso temos crenças diferentes a partir de nossa experiência de vida, perseguimos metas diferentes e temos valores diferentes.

Essas metas, crenças e valores são as principais características do nosso **mapa mental**, que modela o mundo da forma como o percebemos. Nós agimos como se os mapas mentais fossem reais.

As **crenças limitantes** são as principais acusadas por nos deter de atingirmos nossas metas e vivenciarmos nossos valores. Elas atuam como regras que nos impedem de conseguir o que é possível, do que nós somos capazes e do que nós merecemos.

Se eu perguntar a você, agora: "o que te impede de alcançar suas metas?", possivelmente sua resposta seria uma crença limitante.

Como já mencionei anteriormente, as crenças limitantes provavelmente surgem na infância quando copiamos nossos pais – e os pais nunca são perfeitos. As opiniões precoces dos nossos pais muitas vezes permanecem ocultas, e nós, quando já adultos, não fazemos muitas vezes um julgamento consciente.

Além disso, coletamos crenças limitantes da mídia, de novelas, de telejornais, propagandas, e mais uma vez eu digo para você: mate a sua televisão!

Lembre-se: as crenças somente são verdadeiras se você agir como se elas fossem. Em minha experiência como mentor, tenho percebido muitas vezes que simplesmente ser capaz de articular crenças limitantes e ver seus efeitos de forma consciente é suficiente para o cliente mudar sua posição e consequentemente sua realidade.

Existem crenças que mudam naturalmente no decorrer da vida, outras recebem reforço positivo e se incorporam na realidade mais facilmente.

O **ciclo da mudança** acontece da seguinte forma:

1. Insatisfação com os eventos e resultados atuais;
2. Dúvida da crença existente;
3. Crer em algo diferente;
4. Uma nova crença;
5. A antiga crença se reúne ao grupo das crenças que já não se usam mais.

Abaixo vou descrever algumas crenças limitantes relacionadas ao medo, e você poderá ressignificar (reescrever e dar um novo sentido) a crença de forma positiva, abaixo de cada sentença. Vamos lá?

1. Eu tenho medo de morrer.

____

____

2. Eu tenho medo de andar de avião.

____

____

3. Eu tenho medo de parecer ridículo e as pessoas me julgarem.

____

____

4. Eu me preocupo muito com o que os outros vão falar.

____

____

5. Tenho medo de falar em público.

6. Meu maior medo é ficar pobre.

7. Eu me sinto inferior a pessoas bem vestidas e que se comunicam bem.

8. Tenho vergonha de fazer novas amizades.

9. Eu me sinto um fracassado e sem talento.

10. Sou muito burro para aprender algo novo.

11. Todas as pessoas são melhores e mais talentosas que eu.

12. Nunca vou conseguir crescer na vida.

13. Não quero ser rico, todo rico é soberbo, desonesto, orgulhoso e metido.

____

____

14. Estou destinado a ter essa vida, pois é a mesma vida que meus pais tinham.

____

____

15. Não consigo aprender isso.

____

____

Todas essas crenças acima estão relacionadas a algum tipo de medo. Você tem alguma crença além dessas? Se existir alguma crença que não foi descrita aqui e que você deseja abandonar, escreva-a no quadro abaixo.

A crença limitante era aquilo que impedia você de prosperar.

O seu corpo tem limites, mas a sua mente não. Esse é o maior segredo que você poderá carregar. Por isso existem coisas que sua mente alcança quando seu corpo não pode alcançar, mas em algum momento se tornarão realidade, pois você acabou por atrair aquilo para si.

Não seja alienado a nada. Não se case com nenhuma das irmãs do medo. Questione tudo e não aceite qualquer coisa só porque você respeita uma pessoa. **Respeite sua vida, sua inteligência e seu crescimento.** Ame-se, pois se você não fizer isso por você, ninguém mais fará! **Questionar alguém não é desrespeitá-lo, e sim respeitar-se.** É pensar, é também se permitir e definitivamente romper com a necessidade de aprovação, visto que a maioria das pessoas que você não quer questionar é porque você as respeita ou as admira.

Não se esqueça: **Pensamentos geram Emoções (sentimentos), que geram Ações, que geram Resultados.** Se você quer resultados diferentes, mude suas ações, suas emoções e seu pensamento.

Pensamento não muda pensamento. O que muda pensamento é o movimento ou uma simples ação.

CAPÍTULO 12

AME PROBLEMAS

Tudo que você desejar na vida estará do outro lado da ponte chamada problema. É só atravessar uma por dia. Muitas vezes, focamos no quão distantes estamos do nosso desejo e nos esquecemos de que é só atravessar.

Atrás de todo problema, sempre haverá uma recompensa. Ame recompensas! Se você não tiver essa mentalidade instalada, sempre pensará que atrás de todo problema tem uma solução, quando na verdade a solução e o problema são feitos da mesma matéria. Fazendo uma alegoria, o problema é como um meteoro que perturba constantemente as pessoas que deixam tudo para depois, por não gostarem de problemas. E quando o meteoro cair? Como essas pessoas reagirão? Se elas podem resolvê-lo agora desviando-o da Terra, por que esperar que ele a atinja?

Acredite, sempre que você decidir amar o problema, será mais fácil resolvê-lo. Posso dizer isso por experiência própria, pois não existe um problema que eu não possa resolver, afinal, eu amo problemas e quero resolver todos os que eu encontrar pela frente.

Deseja mais paciência? Peça pessoas problemáticas. Deseja sabedoria? Aguarde pessoas com situações difíceis de resolver. Deseja a prosperidade? Pense em problemas que a maioria nunca pensou antes ou nunca conseguiu resolver.

Torne-se um especialista em problemas e mentalize que todo problema que chegar até você quer ensinar algo que outras pessoas que não têm problemas parecidos não saberão e não crescerão em maturidade como você, assim você entenderá que os problemas são bons.

Não veja problemas como dificuldades, **veja o problema como uma possibilidade de crescimento.** Veja a situação aparentemente sem resolução como **oportunidade de crescer em sabedoria.**

Amar problemas nunca será ruim. Por mais que você não concorde, pare, respire e pense no que está lendo neste momento.

A cada problema há uma recompensa, repito. À medida que você se tornar especialista em problemas, você nunca mais será pego de surpresa. E ainda existe mais uma dica poderosa para você: os problemas fugirão de você. É isso mesmo, à medida que você se torna um expert em soluções, os problemas não querem mais saber de você. Os problemas irão atrás dos medrosos, pois eles sabem que se chegarem até você, você irá resolvê-los.

Seja íntimo da dor, pois ela pode ser uma grande amiga ou o seu combustível. A dor pode ser a mola propulsora para que você transforme aquilo que **era sofrimento em resultado**, o que era **angústia em maturidade**, e o que era, a princípio, **prejuízo em lucro**.

Compartilho com vocês um fato que aconteceu com um dos meus colaboradores. Estávamos em um treinamento e, durante esse processo, solicitei que ele assasse pães de queijo para nós.

Perguntei o que havia acontecido, pois tinha quarenta minutos que havia solicitado e ele respondeu que a cozinha estava fechada e não tinha fôrma para assar. Instiguei que ele pensasse em outras possibilidades, mas ele não conseguia.

Dei, então, a ideia de tirar a rosca de plástico da tampa da panela e assar com a tampa virada para cima, e ele disse "não vai dar certo", depois olhei para a telha, e pensei: "Se existe peixe na telha, vamos fazer pão de queijo na telha", e ele disse: "Não, isso vai deixar um gosto terrível na comida". Após vários estímulos, ele disse que compraria pão de queijo na padaria para acabar com isso logo. Todavia, eu disse que isso não era a solução.

Na verdade, eu já havia pensado em uma saída mais fácil, mas quis estimulá-lo a não desistir e pensar a respeito disso de forma holística.

Depois de algum tempo, eu disse para ele: "Vá lá fora, aperte a campainha na casa da frente. Sairá de lá uma senhora de cabelos brancos, peça a ela uma fôrma ou assadeira, e ela vai entregar a você, e você conseguirá assar os pães de queijo". Ele o fez, e tudo aconteceu como eu já tinha mentalizado anteriormente. Após 5 minutos ele chegou com a bandeja e assamos o pão de queijo. Foi um aprendizado incrível para todos nós.

Nessa situação, qual seria a sua atitude? Diante da falta de recurso, você desistiria? Você é o maior recurso que existe. Acredite, tudo que é seu já existe!

Existe um segredo que, se aplicado, promove uma devastação cerebral sem retorno. Você sabe qual é o maior problema do mundo? **Todo envolvimento com problema aumenta a sua sabedoria, autoridade e confiança.** Todo ser que pensa ama problema. Todo problema resolvido desaliena você do mesmo.

O maior problema do mundo é você. Só que os problemas e as soluções são feitos da mesma matéria. Escolha viver correndo de você e conhecerá uma vida de fardos infinitos.

Será que você pode dizer que ama problemas?

Você ama a si mesmo?

Você consegue dizer isso?

Quais são os cinco problemas que você tem odiado e adiado? Escreva-os abaixo:

1. ______________________________
2. ______________________________
3. ______________________________
4. ______________________________
5. ______________________________

Depois de escrevê-los, vamos mentalizar e verbalizar que você ama esses problemas e que eles serão resolvidos. Vamos lá?! Entenda e utilize-se desse segredo de aprender realmente a amar os problemas e não fugir deles. Isso fará uma diferença assustadora no seu dia a dia. Mas você precisa experimentar, e só se experimenta algo fazendo.

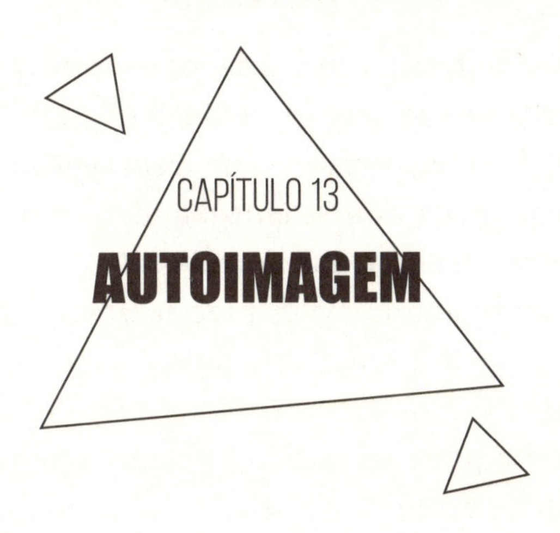

CAPÍTULO 13
AUTOIMAGEM

Nosso corpo carrega a nossa história emocional. Nossos pensamentos, sentimentos e experiências são canalizadas a todo tempo no corpo, na forma com que nos expressamos através dele. É por isso que acontecem as conhecidas doenças psicossomáticas. Essas doenças são apenas formas de seu corpo se comunicar com você dizendo que existe algo errado. Freud já dizia: "Nenhum ser humano é capaz de esconder um segredo. Se a boca cala, falam as pontas dos dedos. Se a sua boca cala, o seu corpo fala". Sabe o que isso quer dizer? Que muita coisa se revela nas entrelinhas do comportamento. Muitos fingem ostentar certos rótulos, entretanto, em pouco tempo, revelam quem realmente são.

William Shakespeare também nos dizia algo parecido: "A vida é um teatro, onde, assim que nascemos, nos tornamos personagens das histórias de que participamos. Pois cada um representa diversos papéis para diferentes plateias. Mas muitos representam até para si mesmos". Neste capítulo, uma das coisas mais importantes que você aprenderá é: você sabe quem realmente é? Está o tempo todo escondendo dos outros sua verdadeira identidade e desempenhando papéis até para si mesmo(a)?

Além disso, a maior parte da nossa comunicação é não verbal. Comunicamos todo o tempo o que sentimos, passamos, desejamos e sonhamos. Você fala até quando está calado.

Com o passar do tempo, criamos crostas, cascas, devido aos traumas que enfrentamos ao longo da vida. É o que eu chamo de "casca/máscara social". Às vezes, para ser "bom" para alguém, as pessoas cometem o maior erro de sua vida: **se autoabandonam. E essa é a pior dor que existe, a de negligenciar sua própria vida.**

Para falar sobre autoimagem precisamos também falar a respeito de autoconceito. Qual dos dois é mais importante? Qual vem primeiro?

O **autoconceito** pode ser definido como a percepção que o indivíduo tem de si próprio, ou seja, o conceito formado a respeito de si mesmo. Ele serve como base para as demais formações do indivíduo, como a autoestima. **Se o seu conceito acerca de si mesmo está errado, toda a construção do seu ser poderá ficar comprometida.**

A autoestima é como eu me sinto sobre o conceito e a imagem que tenho a meu respeito. É o sentimento que me move a agir, e a ter certas atitudes.

A autoimagem é a descrição do seu comportamento através do conhecimento prévio que você tem sobre você, ou seja, como você se comporta e se comunica com o mundo. É como você se descreve. Dentro desse ponto entra a autoestima, que nada mais é do que o valor que você dá a si mesmo.

A maior autoimagem é construída na infância, mas mesmo na idade adulta, quando ela já se estabilizou, permanece um conceito dinâmico. Será possível alterar a nossa autoimagem? É claro que sim! Mudando o autoconceito, você consegue ressignificar sua autoimagem e também sua autoestima. Alcançar resultados extraordinários fará você se apaixonar pela pessoa mais importante que existe. Você mesmo!

Todos temos uma imagem a respeito de nós mesmos que construímos em nosso interior. Essa imagem fica projetada no salão da nossa alma. Sempre que passeamos por nosso interior, automaticamente, passamos por esse lugar, vemos nossa imagem refletida da forma como a construímos.

Existe um trecho na palavra que o Criador nos deixou que diz: "Se os teus olhos forem bons, todo o seu corpo será luz, mas se, porém, seus olhos forem maus, todo seu corpo será trevas". Já parou para pensar o que seus olhos pensam sobre você? Qual a imagem que você construiu dentro de si mesmo? Você não enxerga com os seus olhos e sim com córtex visual, ou seja, com alguma experiência passada e não com a realidade.

Uma das causas mais poderosas do medo é não ter bem definida a sua imagem real. Talvez você construiu sua própria imagem baseada em opiniões ou inferências alheias, mas é chegado o tempo de ativar dentro de você quem você realmente é.

Nathaniel Branden é o psicólogo que trabalhou ativamente na psicologia da autoimagem e ele declara que: "A autoimagem é quem ou o que nós pensamos ser. Nossos traços físicos e psicológicos, nossas qualidades e imperfeições, nossas possibilidades e limitações, nossas forças e fraquezas".

Segundo o mesmo autor, a autoestima é "a disposição de experimentar a si mesmo como competente para lidar com desafios básicos da vida e como digno de felicidade". Aqui entra algo muito importante na vida da maioria das pessoas: a **comparação.**

A única pessoa que serve de comparação com você é você mesmo, só que no passado. Não nivele suas histórias de vida com outras histórias ou pessoas. **Compare-se apenas com o melhor que você pode ser, sua melhor versão.**

Ao estudar a PNL (Programação Neurolinguística), descobri que existe uma janela emocional que se abre aos sete anos e se fecha aos quatorze. Essa janela possui a maior absorção de impactos emocionais que influenciarão o resto da vida das pessoas. Por isso precisamos destravar esse nó cerebral, para que você possa avançar sem peso na sua mente.

A imagem que você construiu de si mesmo, e que está olhando agora em sua alma, é a que você deseja ter hoje? Se você topar tomar a decisão de mudar isso, nunca mais volte atrás.

Como você vê a si mesmo?
Qual é a sua verdadeira imagem em uma única palavra?

____
____
____

Que tal reescrever sua autoimagem? Escreva na frente de cada tópico as qualidades que você vai exercer para desenvolver, a partir de agora, uma nova fotografia de si mesmo.

Pensamentos:

1. Higienizados; Limpos.
2. ______________________________
3. ______________________________

Olhos:

1. Benevolentes; Visionários.
2. ______________________________
3. ______________________________

Nariz:

1. Que fareja oportunidades.
2. ______________________________
3. ______________________________

Palavras:

1. Edificantes.
2. ______________________________
3. ______________________________

Ouvidos:

1. Que não permitem a interferência de toxinas.
2. ______________________________
3. ______________________________

CAPÍTULO 14

LUTAR OU FUGIR

Como visto no capítulo quatro, a última fase do medo no cérebro acontece no hipotálamo, zona responsável por várias funções, entre elas a regulação do comportamento emocional.

O cérebro faz a seguinte pergunta: **vai lutar ou vai fugir?** A reação de lutar ou fugir, também conhecida como estresse agudo, foi descrita pelo fisiologista Walter Bradford, em 1927.

Em sua teoria, Bradford diz que os animais (sim, você é um animal racional) reagem às ameaças com uma descarga energética comum do sistema nervoso, fazendo com que você permaneça e lute ou fuja para se defender.

As consequências corporais podem ser: aceleração de batimentos cardíacos; dilatação das passagens dos brônquios; constrição dos vasos sanguíneos; aumento das contrações (peristaltismo) do esôfago; dilatação da pupila; aumento da adrenalina; transpiração; aumento da pressão sanguínea, entre outras.

Se você fugir, o estoque do medo acumulado dentro de você aumenta assustadoramente, e com ele as consequências corporais, além de imprimir ainda mais força a esse medo que, aparentemente, pode ser uma fantasia.

O medo é como um monstro que se alimenta de si mesmo. Ou seja, quando você sente medo e não o enfrenta, o alimenta para que ele continue crescendo dentro de você.

Se você lutar, não se preocupe com o resultado, apenas saiba que o estoque não crescerá mais. O enfrentamento sempre gerará maturidade na situação e você acabará ganhando robustez no assunto, que antes parecia um gigante.

Se você vencer a luta, o estoque do medo diminuirá no seu cérebro, e cada vez mais você ganhará domínio sobre o assunto, podendo enfrentar outros desafios cada vez maiores. Enfrentar o medo é um processo e tem suas fases, seu tempo e seu método.

Você precisa criar uma estratégia pessoal para lidar com o medo e alcançar o seu objetivo. Já pensou em questionar-se? É necessário fazer uma reflexão sobre os seus medos. Pergunte a si mesmo: "O que eu realmente temo?". Escreva abaixo todas as respostas que vierem à sua mente.

Alguns medos parecem razoáveis, outros são irracionais e muitas vezes possuem motivações que você mesmo desconhece, mas todos provocam em você reações instintivas sem que você avalie as consequências.

Um dos passos mais importantes é **conhecer os seus medos**, por isso, você precisou escrevê-los. **Não se pode lutar contra aquilo que não se conhece.**

Encare seus medos proativamente. Busque na sua memória a primeira vez que você sentiu medo. Investigue a origem do seu medo, porque geralmente está associado à falta de informação. Se você, por exemplo, tem medo de andar de avião, estude sobre o assunto e veja as estatísticas de quantos aviões caíram até hoje, em comparação aos acidentes ocorridos com outros meios de transporte, por exemplo. **Informe-se, isso poderá libertar você.**

O medo faz você se sentir impotente e miserável. Na verdade, o medo faz você esquecer tudo o que é capaz de enfrentar.

O medo funciona como um verme que corrói você por dentro, paralisa e o torna incapaz de agir. Tudo sem você perceber. Por esse motivo é importantíssimo que você mude sua perspectiva e comece a refletir sobre tudo o que você enfrenta diariamente e que exija virtudes de você. **Aprenda a reconhecer suas habilidades e virtudes, valorize suas atitudes positivas e comemore seus sucessos, ainda que pareçam pequenos.** Se você não começar a comemorar suas pequenas vitórias esperando pelas grandes, quando elas chegarem, você desejará maiores, e nunca ficará feliz por desempenhar um bom trabalho.

Outro ponto importantíssimo é o poder da **visualização**. Tenho experimentado esse recurso e colhido os frutos de uma vida sem gasto de energia desnecessário e, ao contrário, focado em algo que gera resultado real. Seu crescimento estará muito relacionado a isso. Aquilo que você não visualiza, possivelmente, não acontecerá, e se acontecer, demorará o dobro do tempo. Você está disposto a esperar muito por não usar um recurso disponível?

Visualize como seria sua vida sem esse medo que o atormenta e o limita. Imagine como tudo seria diferente se você não sentisse tanto medo. Já pensou em quantas coisas você poderia fazer?

Aproxime-se sempre que possível do que lhe causa temor. Por exemplo, se você tem medo de falar em público, aproxime-se dessa realidade, vá a palestras e fique perto dos palestrantes, procure se conectar a pessoas que dominam o assunto, enfrente e vença o seu medo.

Quando você tem medo de alguma coisa, a única coisa que você precisa mentalizar é:

"Nunca, por motivo algum, ficarei passivo diante daquilo que me causa medo. Sempre o enfrentarei!"

Recuse-se a ser vítima do medo. O medo que tem que ter medo da gente!

CAPÍTULO 15

CONTROLE MENTAL ABSOLUTO

Assim como motores de carros de corrida, o seu cérebro precisa de ajustes finos para explodir em novos resultados.

Uma forma de **regulagem cerebral é estabilizar o foco temporal.** Utilizar energias em excesso com o passado e com o futuro o desconecta do agora.

O ideal é que:

10% esteja conectado no passado
20% esteja conectado no futuro
70% esteja conectado no agora

Como está a sua energia agora?

_____% no passado
_____% no futuro
_____% no agora

Se você conseguir operar com energia superior a 70% no **"AGORA"**, os seus resultados serão extraordinários. Você deseja isso? Se a resposta é sim, você precisa manter um guarda na porta da sua mente.

Não permita que eventos externos e circunstâncias afetem seu estado emocional. Você não acha que isso é possível? Acompanhe-me na história a seguir.

Certa vez, Jim Rohn, o mentor de Tony Robbins, disse a ele: "Todos os dias, coloque um guarda na porta de sua mente. Vigie o seu café". Jim perguntou: "Se o seu pior inimigo colocar açúcar no seu café, como o mesmo ficará?" O Tony respondeu: "Ficará doce". "E se seu melhor amigo colocar toxina/veneno no seu café?", perguntou novamente Jim, ao que Tony respondeu: "Eu morreria". Jim encerrou: "Por isso você deve colocar esse guarda, pois a forma com que você cuida do seu café é a mesma forma com que você toma conta da sua vida".

Eu chamo isso de **bloqueio do bem**, ou **blindagem cerebral. Você verdadeiramente é o que pensa**, o que você realmente acredita ser. Por isso deve levantar uma lista poderosa de inimigos, formando suas barreiras cerebrais que protegerão todos os seus propósitos.

Uma das frases mais poderosas que já li em toda a minha vida é: **Uma pessoa que possui controle mental absoluto (total) não é alienada a nada.**

Esse controle absoluto se dá pela habilidade emocional de lidar com os próprios sentimentos, adaptar-se a situações e expressar o que pensa de forma saudável, tanto para si mesmo quanto para o grupo.

Quando você detém o controle de quem é, de onde quer chegar e sabe qual a sua real identidade, nada nem ninguém poderá impedi-lo de alcançar tudo o que você deseja, aliás, tudo o que já é seu. Apenas pare de atrapalhar. Pode ser?

Faça agora uma lista de dez bloqueios do bem ou de blindagem cerebral que você utilizará a partir de agora:

1. ______________________________
2. ______________________________
3. ______________________________
4. ______________________________
5. ______________________________
6. ______________________________
7. ______________________________
8. ______________________________
9. ______________________________
10. ______________________________

O melhor método de aprendizagem da história é a **modelagem.** Modelagem é quando você observa algo que é interessante em alguém (e normalmente você não tem), e então você decifra a pessoa, observa os comportamentos e os imprime em sua realidade, com sua identidade e características próprias.

Tenho um vídeo no YouTube com o Victor Azevedo em que falamos sobre as peças de Lego que cada pessoa tem. Mas para montar um brinquedo, talvez eu tenha uma peça repetida e precise trocar com o meu próximo. Modelagem é isto: pegar a peça de Lego do outro, ou trocá-la, como você preferir.

Modelagem não é cópia. É uma forma de aprendizagem social desenvolvida por Albert Bandura, que diz que o comportamento pode ser aprendido com base na observação e modelação.

É observando e modelando que as crianças aprendem a falar e a brincar, por exemplo. Bandura trouxe a ideia de que as pessoas podem aprender tanto diretamente quanto indiretamente.

Supondo que um colaborador de uma empresa ganhe um prêmio pelo seu desempenho profissional. Esse comportamento será reforçado pelo próprio colaborador a fim de que no futuro ele possa novamente ser reconhecido pelo seu excepcional trabalho. Seus colegas de trabalho, caso desejem crescer e modelá-lo, tenderão a proceder como ele, pois viram que o bom desempenho dele gerou frutos e foi apreciado. Isso significa que modelar o comportamento do colaborador reconhecido é uma forma de aprendizagem social.

Você pode, por exemplo, modelar lendo livros como este. Perceba que, durante todo o meu livro, compartilho as minhas histórias, as minhas perspectivas e coisas que têm feito muito sentido para mim. Sendo assim, você que deseja me modelar (e pegar a sua peça de Lego que está comigo), mas não pode se conectar pessoalmente a mim, poderá fazer isso lendo meus livros, vendo meus vídeos, ou quem sabe até fazendo meus cursos on-line. Qual a sua desculpa para não modelar e aprender com quem você deseja?

Durante minha vida, tenho modelado pessoas e absorvido o comportamento que não tenho, mas que vejo que elas têm. Por isso tenho os meus principais mentores. Pessoas que tenho modelado para desenvolver áreas em mim com as quais a princípio não tenho facilidade ou habilidade natural.

Vou compartilhar com vocês quem são as pessoas que me inspiram e que modelo em algumas áreas da vida:

Aluízio Silva - Sabedoria e Riqueza
Paul Washer - Intensidade e Paixão
Juliano Marçal - Constância e Leitura
Karen Tzelikis - Capitalização e Relatórios
Alexander Rodrigues - Nobreza e Respeito
Eduardo Rodovalho - Amor e Ativação
Daniel Goleman - Gestão das Emoções
Napoleon Hill - Liberdade e Master Mind
Divino Carvalho - Generosidade e Humildade
Augusto Miranda - Despertamento e Inspiração

E você, tem as dez pessoas reais que você modela? Que o inspiram a melhorar e avançar em alguma área em que você precisa crescer?

Lembre-se de que o maior boicote que você pode cometer contra si mesmo é andar sozinho. Essa é a pior forma de obter resultados.

Estudos na Universidade de Buffalo, em Nova Iorque, comprovam que isolar-se do convívio social por um período prolongado pode provocar alterações cerebrais que levam a mais isolamento. Isso significa que, quanto mais tempo você caminhar sozinho, mais desejo de permanecer só você terá.

O maior problema disso é que o ser humano é um ser relacional. **Fomos criados para estabelecer relacionamentos**, ainda que muitos resistam.

O Arquiteto do Universo, quando fez você, tinha um único objetivo: **relacionamento íntimo, uma verdadeira amizade.**

Era isso que Ele queria estabelecer com você desde o momento em que Ele construiu todas as coisas e deu a você domínio sobre elas. Aquele que se isola vai contra a sabedoria do próprio Criador e anula todas as possibilidades em sua volta. Se você ainda não tem essas pessoas, procure-as.

Não se esqueça: relacionar-se é se envolver com aquilo que Deus realmente ama: pessoas! Se você não está se relacionando, está indo contra a vontade do Criador para você. Você precisa entender a grandiosidade que há em saber se relacionar com as pessoas e levar a elas algo que você tem, e receber delas algo que somente elas possuem.

Pense na qualidade das pessoas que você precisa modelar para alcançar resultados extraordinários e coloque o nome delas abaixo:

1. ______________________________
2. ______________________________
3. ______________________________
4. ______________________________
5. ______________________________
6. ______________________________
7. ______________________________

CAPÍTULO 17

O VERDADEIRO AMOR DERROTA O MEDO

Existem alguns autores de que eu gosto de maneira especial. Um deles é Aldous Huxley. Acompanhe comigo o que ele diz a respeito do amor e do medo em "O Macaco e a Essência":

"O amor elimina o medo; mas reciprocamente o medo elimina o amor. E não apenas o amor. O medo elimina a inteligência, elimina a bondade, elimina todo pensamento de beleza e verdade. (...) E num instante seu terror silencioso é transformado num frenesi tão violento quanto inútil. Não é mais um homem entre seus semelhantes, não é mais um ser racional falando articuladamente a outros seres racionais; apenas um animal ferido, lutando e debatendo-se na armadilha. Pois, no fim o medo elimina o homem da própria humanidade".

Escolhi colocar esse trecho em meu livro, pois nada mais é tão claro como essa passagem. **O amor tem o poder de eliminar o medo, mas o medo pode eliminar tudo que há de bom no homem, inclusive a sua humanidade.** Você compreende a seriedade disso? Se você não ama as pessoas, pode se tornar um "sub-humano", um zumbi, ou qualquer outra coisa, menos uma pessoa que realmente se importa com os outros.

Não sei da sua história, e talvez você acredite ter motivos infinitos para ser como é. Talvez, você se apoie no seu passado como desculpa para ser alguém indiferente aos outros, mas saiba que a cura que você procura e você precisa só será alcançada na medida em que você experimentar amar os outros. Acredite, alguém, em algum lugar, precisa daquilo que você tem a oferecer.

Você sabe como fazemos para lavar um rio? É só deixar as águas fluírem. Pode parecer simples, mas se você compreende isso, tem a sua vida transformada, porque transforma a vida das outras pessoas. Você deseja lavar seu rio somente deixando as águas que vêm da fonte passarem sobre você, retirando sua impureza, e depois correndo torrentes de águas puras?

Infelizmente, existe uma forma de criar uma barragem no seu rio e impedir que ele flua livremente. A essa barreira daremos o nome de medo.

Por causa do medo que você cultiva em seu interior, você se aproxima mais de outros animais irracionais e se afasta de quem você nasceu para ser. **Você perde a sua essência por causa do medo. Você perde a sua identidade!**

O amor oferece raízes e asas às pessoas. O Criador proporciona a você um sentimento de pertencimento (raízes) e um sentimento de liberdade (asas). Você já pensou em ser livre assim? Já desejou essa liberdade? Então por que você se acorrenta? Você é seu próprio carcereiro!

O amor difere do medo, não tenta controlar ou manipular as pessoas. **Um pássaro engaiolado não pode voar. Você precisa libertá-lo, você precisa libertar-se.** Por que você ainda faz isso consigo?

Como já falei antes, o medo reprime a maioria das pessoas. **Mas quando sabemos quem somos, somos livres para ultrapassar todo o nosso potencial, mas para isso precisamos agir com confiança no Criador e não com medo.**

O medo é o sentimento que mais influencia a vida das pessoas, mas isso pode ser mudado. Ter medo não pode ser seu destino.

Você conhece pessoas que têm medo de perder as outras? Existem pessoas que querem controlar o destino de outros seres humanos, mas seja o que for que o Criador dê a você (cônjuge, filhos, amigos etc.), você precisa aprender a segurar livremente nas suas mãos.

Se você não possui nada, não pode perder nada. Você é mordomo, mestre ou senhor sobre seus filhos, seus filhos pertencem ao Criador, e Ele os dotou de um dom chamado livre-arbítrio. Entenda que talvez seus filhos façam escolhas com que você não concordará, ou talvez, não entenderá. Mas as escolhas são deles e não suas. Não é todo mundo que entendeu o seu caminho, afinal, esse caminho era o seu, e não o deles. Da mesma forma, deixe seus filhos e as outras pessoas livres para seguirem seus caminhos. É o caminho delas, não o seu.

Uma pessoa cheia de amor é capaz de libertar pessoas e coisas. Ela faz isso porque ela própria compreende o que é o preço da liberdade, porque um dia ela sentiu o que é o verdadeiro amor.

Só sabe amar, e não tem medo, quem já experimentou o verdadeiro amor. Você se sente amado por você mesmo? Você se sente amado por Deus?

No livro mais lido do mundo existe uma passagem que diz: "No amor não há medo, antes o perfeito amor lança fora o medo; porque o medo envolve tormento; e quem tem medo não está aperfeiçoado no amor".

O medo quebra a confiança. É por isso que quem padece de medo vive atormentado, ao contrário de quem ama (e se sente amado) verdadeiramente, pois estabelece um vínculo de confiança e amizade genuína com o Criador.

Aperfeiçoar-se no amor é ter convicção e permanecer no amor do Criador. É **ativar sua identidade de filho amado do Pai** e entender que Ele ama você, porque Ele escolheu amar.

Não foi o seu muito fazer, ou o seu fazer "perfeito" que o convenceu.

Ele te ama, e quer ser seu amigo porque essa é a natureza d'Ele.

Pare agora onde você está, feche seus olhos e respire bem fundo. Inspire pelo nariz e solte pela boca. Mais uma vez. Sinta esse amor e essa experiência inundarem você. Sinta seu coração e sua alma enchendo-se de confiança, de convicção desse amor. Permita que todo o medo, toda a insegurança e todo temor saia de dentro de você.

O Amor é liberdade, o Criador nos fez à imagem e semelhança D'Ele, por isso jamais conseguiremos resistir a esse amor perseguidor.

Os anjos são maiores que os homens em estatura, porém menores em glória. Eles são obrigados a servirem a Deus, enquanto nós não!

O livre-arbítrio é um instituto cerebral que nos dá liberdade de escolher amá-lo ou não. Nunca tente segurar uma pessoa que você ama, pois isso não é amor.

Deus nunca quis segurar Adão no Jardim do Éden, por isso criou uma árvore do conhecimento do bem e do mal, sendo a única forma de Adão sair de lá. Isso, sim, é prova de amor. "Adão, você é livre para ficar e para ir. O que você prefere?".

A resposta dele é a mesma que a sua, vive buscando coisas fora de você, se importa com opiniões, e tem uma necessidade infinita de aprovação dos outros. Inclusive sofre com esse impacto em sua vida agora.

O Mestre replantou o Jardim dentro de você e escolheu morar aí, por isso, o único caminho é para dentro.

O medo faz você buscar fora o que só encontrará dentro.

CAPÍTULO 18

ESTADO DESEJADO

Hoje você se encontra de um jeito, em um estado mental, com determinadas atitudes, mas a grande questão é: você está satisfeito com seus resultados? Com a vida que você tem levado?

Se a resposta é não, você precisa traçar um caminho para sair de onde está, até chegar no seu estado desejado. Esse estado objetiva atitudes para que você seja mais pleno, feliz e próspero (em todos os sentidos).

O estado atual é como você está hoje, já o estado desejado é aonde você deseja chegar. E entre quem você é e para quem você deseja se tornar, há uma diferença que podemos chamar de ponte, que precisa ser atravessada.

Pessoas que possuem os objetivos bem definidos têm mais êxito naquilo com que se comprometem a fazer. Não se deixe vencer pelos conflitos e problemas que surgem durante o caminho. Use seus desafios a seu favor para conseguir alcançar o estado que deseja.

Quem sabe o que quer, deseja isso com todas as forças de seu ser e, por isso, não se deixa desviar de seu caminho e não permite que nenhum obstáculo o impeça de chegar lá.

Quem tem seu estado desejado bem definido se projeta para o momento em que consegue atingi-lo, e isso ativa algo dentro de si, para não desistir, tampouco retroceder.

Pessoas que não sabem aonde querem chegar pegam qualquer caminho, utilizam-se de qualquer meio e, no final, ainda ficam frus-

tradas. É impossível caminhar sem direção. Para quem não sabe aonde quer chegar, qualquer caminho serve.

Para sermos plenamente realizados, precisamos encontrar um **sentido no que estamos fazendo**, no rumo que nossa vida está tomando, caso contrário, viveremos sob constante pressão e estresse, o que não é física, mental e muito menos espiritualmente saudável.

Para alcançar seu **estado desejado,** você precisa construir o percurso. Ao contrário do que muitos pensam, **ele não é conquistado, e sim construído.**

Não existe atalho entre o estado atual (A) e o estado desejado (B). Entre o A e o B você precisa construir os módulos para transitar de um ponto ao outro.

Talvez você pense: "Para chegar aonde eu quero, preciso apagar toda a minha história". Não se engane! A única forma de ultrapassar o vale das limitações é através de pontes. Falando nisso, você sabe como se constrói uma ponte?

Para construir uma ponte, primeiro você precisa dos pilares. Entre o estado atual e o estado desejado você precisará de pelo menos dois pilares fortes: o primeiro é o relacionamento com o Criador e, o segundo, o relacionamento com pessoas que dominam o assunto.

Você precisa compreender que **a chave para o sucesso são os relacionamentos**, 85% dos seus resultados depende das pessoas com as quais você se conecta, e eu sou a prova viva disso. Exatamente por esse motivo os pilares são baseados no relacionamento.

Depois de estruturados os pilares, você precisa colocar os módulos para construir sua ponte. O primeiro deles é o **conhecimento.** Ele diz respeito ao saber, ao conhecimento adquirido, ao seu estudo sobre aonde você deseja chegar e o que precisa ser feito para alcançar isso.

O segundo módulo é a **sabedoria.** Só se conquista a sabedoria fazendo, repetindo, praticando. Quando você executa as tarefas que você traçou anteriormente, você está adquirindo sabedoria.

O terceiro e último módulo da sua ponte é o **domínio**. Ter domínio sobre algo é ganhar autoridade sobre o assunto. É ensinar aquilo que você já conhece, já tem sabedoria e agora domina.

Sempre que você constrói o domínio em uma área, você ganha **paz** naquele assunto. E paz é o que a maioria das pessoas procuram, mas não encontram, simplesmente porque não possuem autodisciplina.

A **autodisciplina** é ter domínio sobre **três áreas** da sua vida: **sobre sua língua, sobre seus impulsos sexuais e sobre sua alimentação**. Se você é dominado por alguma dessas áreas, sua autodisciplina está seriamente comprometida.

Como anda seu domínio sobre essas três áreas?

Dê uma nota de 0 a 10 para cada uma delas, e estabeleça uma tarefa prática e real para melhorar sua nota até o final deste livro.

Controle da Língua:

Nota de 0 a 10: ____________________

Tarefa: ____________________

Controle dos Impulsos Sexuais:

Nota de 0 a 10: ____________________

Tarefa: ____________________

Controle da Alimentação:

Nota de 0 a 10: ____________________

Tarefa: ____________________

Agora que você já aprendeu a controlar sua língua, seus impulsos e também sua alimentação, desenvolva a atividade abaixo com muito cuidado. Fique atento, pois você está prestes a alcançar tudo o que sempre desejou e o que você mais anseia: seu estado desejado. Mas para isso é necessário traçar alvos (ainda que pequenos e simples), para chegar aonde deseja. Tenha seus alvos claros e alcançáveis.

Escreva dez alvos que você alcançará brevemente para compor seu estado desejado.

1. ______________________________
2. ______________________________
3. ______________________________
4. ______________________________
5. ______________________________
6. ______________________________
7. ______________________________
8. ______________________________
9. ______________________________
10. ______________________________

CAPÍTULO 19
ANTIMEDO

É um neologismo transformado por mim. Fui inspirado por Napoleon Hill em seu livro "Mais esperto que o Diabo" e em Nassin Taleb no livro "Antifrágil".

Criei uma palestra com esse tema e pensei: "As pessoas não irão sair de casa para assistir uma palestra dessas". Sabe o que aconteceu? Nunca me senti um palestrante poderoso até lançar essa palestra! Em algumas vezes, pessoas assistiram sentadas no chão e outras assistiram do lado de fora por não caberem nos auditórios.

Aprenda algo. **Tudo que acontece com você é bom.** Tudo mesmo! Aquilo que você não gosta de imediato lhe trará alegria imediata. Produzirá fruto de justiça e amadurecimento.

Tudo que acontece com você é para aumentar a sua robustez e fazer você ir mais longe. Você nunca perde, ou está ganhando ou está aprendendo. Como você pode perder alguma coisa?

Você é um vencedor e não tem como experimentar a derrota. A derrota é inerente a pessoas que não descobriram o que verdadeiramente são e, portanto, não têm sua identidade ativada.

Não fuja dos fracassos, pois o fracasso é realmente bom. Você ganha maturidade naquele assunto e aprenderá a fazer de uma forma diferente da próxima vez.

A frustração é um sentimento de impotência, uma resposta emocional que surge quando certos desejos e expectativas não são supridos.

Precisamos aprender a gerir o sentimento de frustração e canalizá-lo de forma a gerar resultado positivo para nós.

Se você não resolve os sentimentos de frustração, pode causar desmotivação e abandono de todas as suas metas e do maior projeto que você tem: sua própria vida.

Como qualquer outra emoção, a frustração tem que ser controlada e canalizada de modo que você seja capaz de enfrentar as dificuldades e os constrangimentos que o dia a dia apresenta.

É importante lembrar que a própria frustração é um sentimento passageiro, um estado de incerteza que não o define como pessoa. Como eu sempre digo: **a felicidade é permanente, a infelicidade é transitória.**

As pessoas são infelizes porque sua inteligência emocional é pequena, o que acontece é que, na medida em que você ganha maturidade, pequenos desafetos não o incomodam mais e você consegue sair com inteligência em todas as situações.

Pessoas controladas pelo medo são infelizes. Eu mesmo tinha vários medos. Medo da pobreza; medo de morrer; medo de ficar velho; medo de críticas, medo de altura, e o pior medo de todos, que é o medo de viver.

Isso mesmo, na minha avaliação o pior medo que existe é o de VIVER. Você tem uma vida, criada para você. Uma vida que é sua e foi desenhada antes mesmo da fundação do mundo, mas você resiste. Diga-me: por quê? Por que você resiste a uma vida feliz, próspera e cheia de domínio e paz?

Por que você está fazendo isso? Você pode me explicar por que você não vive uma vida de resultados extraordinários, se tudo o que você precisa já existe, e você é o maior recurso que existe?

Você gosta de mediocridade? De infelicidade? De escassez? Gosta de passar necessidade? Não? Então por que você não se liberta e sai logo dessa gaiola? A porta está aberta, é só você voar.

Não faz sentido algum ter medo da vida. Acredite, ela foi feita para o seu desfrute, não de maneira desenfreada, mas de maneira sábia. Você tem um poder dentro de você de alcançar outras pessoas, de impactar vidas, nações, gerações, a humanidade, o futuro, mas você não faz. Por quê? Porque tem medo de ousar, de agir. Medo de agir, esse também é terrível. Se todas as coisas já são suas, por que simplesmente não pega o que é seu?

Agora que você realmente chegou ao final, se essa semente entrou em sua mente e se fez as tarefas propostas neste livro, você acaba de ativar algo que você nunca imaginou ser possível: A Sua Invencibilidade! E quando você começar a experimentar esse superpoder, entenderá porque tantas pessoas conseguiram coisas absurdas e você ficou parado(a) durante tanto tempo.

Não existe possibilidade de perda para alguém que ativa essa blindagem cerebral. Você nunca mais vai perder. Ou você ganha ou aprende. Você está pronto mesmo? Eu vou repetir: não existe a possibilidade de perda. Você sempre vai ganhar, de uma forma ou de outra.

Você está pronto para voar? Então, nunca mais olhe para trás. Apenas saia dessa gaiola, que outrora o prendia e aumentava a saudade da sua alma por coisas que seus olhos nunca viram.

Uma das coisas que mais amo na vida é o relacionamento. Essa, sim é a chave do universo que destranca qualquer porta, só não abre. A mudança é como uma maçaneta que só abre pelo lado de dentro. Tenho certeza de que se você leu este livro até o final, a porta está destrancada.

Juro que eu gostaria de abrir essa porta por você, mas essa é uma atitude que você precisa tomar. Você precisa desejar abrir a porta.

Espero que até esta altura você já tenha chorado, gritado ou quebrado alguma coisa, por ter percebido que você tinha medo ou algum tipo de alienação. Sim, eu espero que você tenha aberto essa porta que nunca mais se fechará.

Caso você não tenha realizado as tarefas contidas neste livro em 30 dias e se libertado desse medo que o aprisionou por tanto tempo, repasse o livro para uma pessoa que deseja realmente essa mudança.

Você está realmente pronto? Feche este livro e dê um grito de liberdade onde você estiver, e nunca mais olhe para trás. Nós nos vemos do outro lado da ponte.

Repita comigo: "Eu sou invencível porque aquele que nunca perdeu está em mim!"

Um grande abraço.

Deus o abençoe.

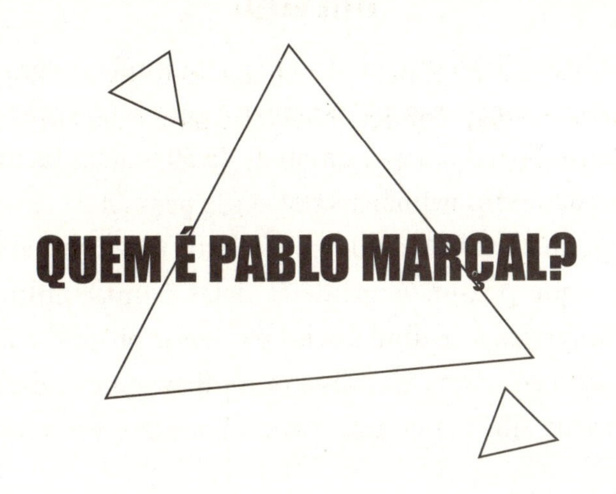

QUEM É PABLO MARÇAL?

Nasceu para ativar a identidade e revelar o propósito das pessoas que se conectam a ele. É uma pessoa normal, sem grandes habilidades físicas, mas com amplo domínio das habilidades mentais e de dons espirituais.

Possui preciosos segredos do sucesso e da alta performance, que ativarão você ao se conectar pessoalmente a ele.

Realizou mais de 3.000 horas de processos de mentorias individuais e empresariais. Impactou diretamente a vida de mais de 100 mil pessoas em palestras e já ultrapassou 20 mil horas ministrando treinamentos em todo o país e no mundo.

Bacharel em Direito pela Universidade Paulista.

Especialista em Andragogia, Master Business pela AT&T-USA, Pós-graduado em Gestão Empresarial, Teólogo, Gestor de Branding, escritor de três livros de desenvolvimento pessoal, formou-se em três renomadas Academias de Coaching com certificação internacional. Atua em vários negócios: construção civil, loteamentos, compra e venda de empresas, investimentos, consultorias, escola de negócios, agência de marketing, mentorias empresariais e individuais.

No meio empresarial é reconhecido como autoridade em estratégias de negócios, vendas, branding e finanças. Aos 23 anos foi o executivo mais novo da Brasil Telecom, liderou mais de 5 mil pessoas, centenas de projetos e grandes empresas. Construiu do zero seu primeiro milhão de reais aos 27 anos. Foi construtor em mais de 50 marcas na última década e atingiu recordes extraordinários por onde passou.

Ele acredita que o resultado de uma pessoa é determinado pelas fontes de energia que possui. A primeira delas é uma intimidade com o Criador do Universo, a segunda delas é o amor próprio e a terceira sua família. É casado com Ana Carolina (a mulher mais linda, inteligente e nobre que os seus olhos já viram), pai do Lorenzo, Benjamin e Miguel.

CONHEÇA
TODOS OS LIVROS

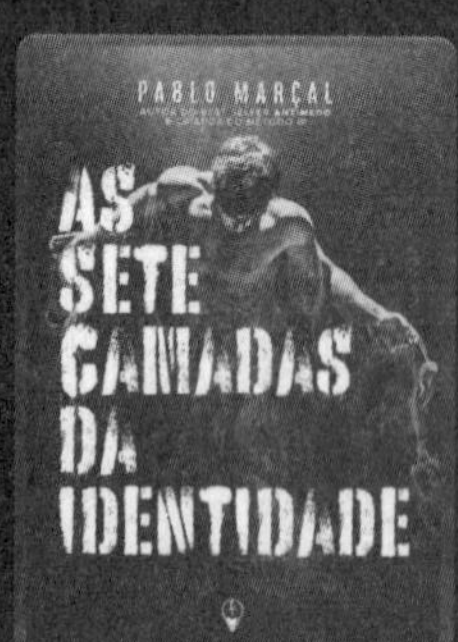

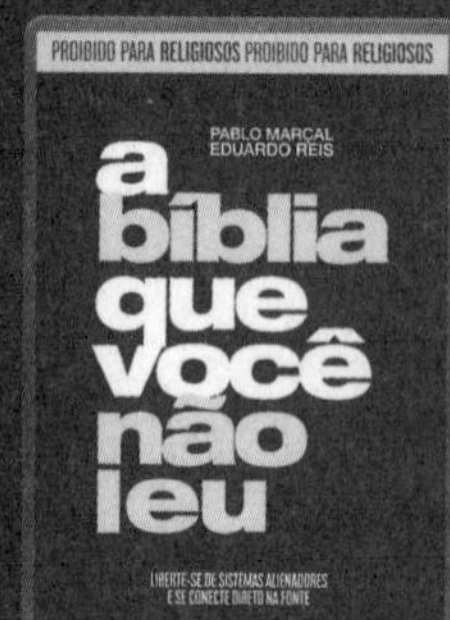

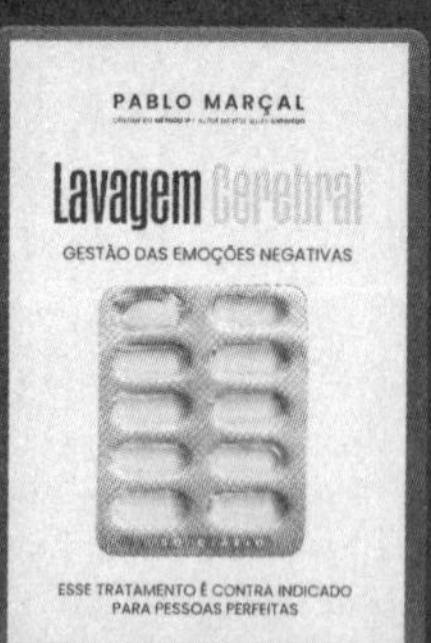

Pablo Marçal

Método IP

SPERO QUE VOCÊ TENHA FEITO AS TAREFAS E CURTIDO ESTE LIVRO.

ste é um convite - na verdade, uma convocação - para nos vermos pessoal-
ente no método IP. Quero lhe dar um abraço, olhar nos seus olhos e
erceber a transformação que começou neste livro, pois você vai pasar
ara próxima fase quando nos virmos no método IP.

egue seu celular aí e leia o QR code. Você vai ver que tem algo meu para
ocê, fechou? Tamo junto até depois do fim, isso é só o começo.

ó aprenda algo, não olhe para trás. Continue marchando para o alvo, é não
e preocupe em chegar antes ou depois de ninguém, não. Você só tem que
travessar a linha de chegada, e eu vou estar lá o esperando.

AI PRA DENTRO

Pablo Marçal

Camelot
EDITORA

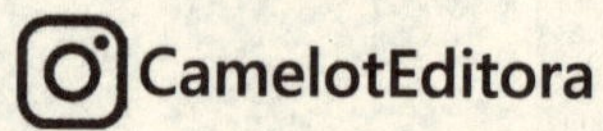
CamelotEditora